丸山晴男
MARUYAMA HARUO

人生は
化学反応・
化学変化

小中高大と教壇に立ってきた
教員が教える人生の探究

幻冬舎MC

人生は化学反応・化学変化

小中高大と教壇に立ってきた教員が教える人生の探究

もくじ

C 研究

研究施設設置・運営手法, 科学作品から 学術研究までの実践

恵那エネルギー環境研究所を中核とした研究

D 生活 人生，生き方の考えとその実践，生きる力をつけ自分を伸ばす極意

120

生活：キャリア教育，生き方，資格・免許でモチベーションアップ

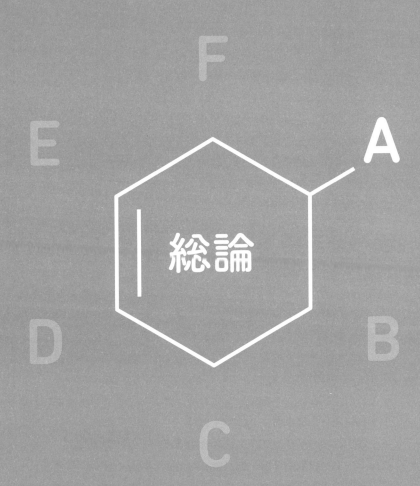

総論

A 総論　はじめに

　この本のタイトルは、「人生は化学反応・化学変化」です。サブタイトルは、「小中高大と教壇に立ってきた教員が教える人生の探究」といたしました。

　私は、人生というのは「化学反応・化学変化」と同じだと思ってきました。私の大学時代の研究が「応用化学」ということもあり、人生は、周りの人的、物的、情報など各種の環境により大きく化学反応、化学変化するからです。その謎はこの本を読んでいき、読者の方と「人生の探究」をして解き明かしたいと思います。

　この原稿を書いている現在、大学院を中退してから、一般教員として小学校、中学校、高等学校に勤務し、大学へは非常勤として勤務し、42年を過ごしました。2000年頃私設研究所（恵那エネルギー環境研究所）を設置運営し、23年が過ぎました。これと同時に研究をスタートさせ今に至っています。教育職と研究職スタイルを並行して今までやってきた各種の体験から、授業、研究、生活、情報について、考えたり実践したことを伝えていきたいと思いました。そして、この本を手に取っていただいた方と一緒に、「人生の探究」ができたらと思ってこの本を書きました。

　この本は、私の人生経験を柱にして、理工系列を柱に、小学校の理科、中学校の理科・技術科、高等学校理科・工業科、大学の工学部自然エネルギー特別講義の学校教育などの教育的側面、学術研究的側面、市民生活的側面、ICT（情報通信技術）的な側面で書いてみました。

　それから、私設研究所「恵那エネルギー環境研究所」および「恵那ライブ気象台」を起点とした研究所の研究活動を書きました。そして、教育活動と研究活動を活かしながら、ライフスタイルの実践もしてきました。そのいくつかをトピックスとして紹介します。どれも身近なものですので、

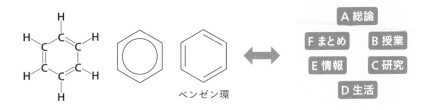

そのまま生活に役立つヒントになるかも知れません。さらに，現在は，情報社会と言われています。その情報というと，パソコンやスマートフォン，タブレットを活用したり，インターネットを利用して，各種ソフトやアプリを活用するということだけに限定しがちですが，生活に役立つ内容となっています。

　この本の内容を6つのブロックに分けました。ブロックA：総論（プロローグ：序章，はじめに），ブロックB：授業（小学校，中学校，高等学校，大学），ブロックC：研究（自由研究から学術研究まで），ブロックD：生活（ライフスタイル，日常生活のいろいろ），ブロックE：情報（ICT：情報通信技術），ブロックF：まとめ（エピローグ：終章，おわりに）です。

　この6ブロックにしたのは，内容が6種類ということもありますが，化学のベンゼン環をイメージしました。6個の炭素原子（C）が正六角形で結び付いた分子構造をベンゼン環（芳香環）と呼びます。ベンゼン環を持つ化合物（芳香族化合物）は様々あり，各種の反応などにより，生活に役立つ実にいろいろな物質を作り出します。合成原料として香料や医薬品，生活用品などいろいろです。このように，変化をして有益な物質を作り出すので，これらのA〜Fまでの情報が有益なものになり，よりよい動きや生活につながればとの願いをこめて，ベンゼン環の要である6つのブロック分けをしました。

　これらの内容をどこから読んでもOKです。また，それぞれの内容にはつながりのあるものもありますが，一つ一つのトピックになっていますので，どこから読んでも，それぞれの内容をくみ取っていただけるものと思います。

A-01 学生時代からどのように現在に至ったか

　Aのこのブロックでは，私の人生の小学生から現在に至るまでの流れを示しました。小学校から大学・大学院中退までは学生時代の流れ，その次は，勤務実績です。大学時代に高等学校の非常勤講師をして，中津川市立第二中学校を皮切りに小中学校10校を経験しました。その後，岐阜県立高等学校（中津川工業高等学校，瑞浪高等学校，恵那農業高等学校）の非常勤講師をしました。そして，常勤講師として，岐阜県立中津川工業高等学校工業科の教員として勤務し現在に至っています。

　恵那エネルギー環境研究所は，2000年立ち上げですので，瑞浪市立陶小学校勤務頃からです。足利大学総合研究センター客員研究員（非常勤），工学部非常勤講師は，恵那市立武並小学校勤務時から始めています。

A-02 教育職の教員と研究職の研究者の両方をめざした訳

　どうして，教員でありながら，研究者をめざしたのか。大学で研究するうちに研究職に就こうかとも思いました。しかし，その確実性もなく教員の道に進みました。そして，各種研究を教育に生かせたらよいのではないかと強く願って，教員でありながら研究を続けたのです。

　教育職は，教育に従事する職業です。ここでは，学校に勤務する教員と

A-01-1 学生時代からどのように現在に至ったか

恵那市立長島小学校

恵那市立恵那西中学校

岐阜県立恵那高等学校 理数科

近畿大学 理工学部 応用化学科   大阪商大 堺高等学校

近畿大学大学院 工学研究科 応用化学専攻　中退

岐阜県公立小・中学校教諭

中津川市立第二中学校［理科・技術］

土岐市立濃南中学校［理科］

瑞浪市立瑞浪中学校［理科］

瑞浪市立明世小学校

郡上郡八幡町立 西和良中学校［理科・技術］

瑞浪市立陶小学校

恵那市立大井第二小学校

恵那市立恵那北小学校

恵那市立武並小学校

恵那市立恵那北中学校［理科・技術］

恵那エネルギ・環境研究所

足利大学
総合研究センター
客員研究員
工学部非常勤講師

| 非常勤講師 | 岐阜県立中津川工業高等学校工業科［理科（化学）］ | 岐阜県立恵那農業高等学校［理科（化学）］ | 岐阜県立瑞浪高等学校［理科（化学）］ |

岐阜県立中津川工業高等学校 工業科：機械系, 情報系

| 常勤講師 | 岐阜県立中津川工業高等学校 工業科（電子機械科）［機械, 電気, 情報系］ |

しての人生です。研究職は，研究・開発に取り組む職業です。研究職としての研究者は，大学や公的機関，企業などでの研究者をさすことが多いのが現状です。「このような研究機関に勤務していないと研究者にはなれない」のでしょうか。文部科学省の資料によると，研究者は，大学（短期大学を除く）の課程を修了した者（又はこれと同等以上の専門的知識を有する者）で，特に研究テーマをもって「研究」している者となっています。一方，日本学術会議の協力学術研究団体の指定の審査事務にあたって，団体規程等に指定要件として規定されている「研究者」の範囲は以下のようになっています。

1）大学，高等専門学校，大学共同利用機関等において研究に従事する者
国立試験研究機関，特殊法人，独立行政法人等において研究に従事する者
2）地方公共団体の試験研究機関等において研究に従事する者
3）公益財団法人，公益社団法人，一般財団法人，一般社団法人等において研究に従事する者
4）民間企業において研究に従事する者
5）その他，当該研究分野について，学術論文，学術図書，研究成果による特許等の研究業績を有する者

　実際に，研究者は通常，高等専門学校や大学，大学院などに勤務している人，企業や行政などで研究をしている人です。私は，当てはまりません。しかし，5）ならば可能性があり，もし研究者になれるならばチャレンジしようと強く思いました。
　公立学校の教育職の教員は，大学・短大等で教員免許状を取得し，都道府県の教員採用選考試験を受けて，合格すれば各教育自治体の「教員採用候補者名簿」に記載され，各学校の担当者と面談したのちに配属されます。私立学校などでは，その対応する学校の採用選考試験に合格することで教員になれます。それで私は，理工系の大学で教員免許状の取れる大学を探

して教員免許を取得しました。その詳細は，A-03，A-04，D-05に記載することにします。私の場合，中学生のころ理科と技術が好きであったため，「理科」と「工業」の両方の免許を取れる大学を探しました。当時は両方の免許が取れる大学は限られていたように思います。いろいろありましたが，最終的に近畿大学理工学部応用化学科に入学し学びました。

教員免許は，高等学校臨時免許状理科をスタートに，その後，新免許制度に置き換えると，中学校1種理科，高等学校1種理科，高等学校1種工業を大学卒業時に取得し，さらに，小学校2種，小学校1種，中学校専修理科，小学校専修と上級免許を取得しました。最終的に，小学校専修，中学校専修理科，高等学校1種理科・工業の4種類の教員免許を所有することができました。

一方，研究者としてはどうかと考えたとき，文部科学省の規定と日本学術振興会の5)「学術論文等の研究業績を有する者」に該当するため，研究職，研究者をめざした現在，その「実現可能な夢」が実現したと思うのです。

教員としての実践内容などについては，今後この本の主にB授業の章を中心に記載することにします。研究者に至るまでの関係研究内容については，主にB授業およびC研究の章を中心に記載することにします。さらに，巻末に，研究を中心として，その論文や実践資料をまとめて掲載することにします。参考になることがあれば幸いです。

A-03　小，中，高から大学選択までの人生基盤の振り返り

A-02のところで，大学時代から教員までについて書きました。では，その前はどのような状況であったかを振り返り，これから様々な提案を読んで，イメージしていただければより一層分かっていただけると思います。そして，これらの内容を活用していただければと思い，小学校，中学校，高等学校から大学選択までを書くことにします。

■ 小学校時代

　小学校においては，家から学校に大変近く（1.5Kmぐらい）で，休まず恵那市立長島小学校に通学しました。学校の成績はそれほどよくありませんでしたが，理科は好きで，昆虫などの虫も好きでした。学級会などの司会が好きで，学級委員をやっていたと思います。人前で話すのは，少し緊張はするのですが，話し始めてしまえば大丈夫なので，むしろこのころから人前で話すのは好きだったと思います。

■ 中学校時代

　中学校では，恵那市立恵那西中学校に通学していました。恵那市立長島小学校の隣で，恵那市では割と街中の学校でした。当時1クラス45人までで，1学年3クラスの学校だったと思います。中規模の学校です。学校では，生徒会をやりました。生徒会の議会などが大好きで，提案や説明が好きでした。今うっすらと覚えているのは，生徒会の予算を立てるとき，インクペンタイプからボールペンが普及してきたときで，どのタイプのどのメーカーのボールペンにするかについて話し合ったことを覚えています。私は，その機種選定にサンプルを持ち出し「ボールペンでも，フタ式，ノック式などの形式」「A社，B社，C社，D社の特徴比較」について説明したのです。

　学校の教員になろうと少し思ったのは，中学校の時です。今思えば，中学校の職員室に毎日のように行っていました。なぜか学校が面白かったのです。いろいろな先生がたくさんいて，いろいろな教科がたくさんあり飽きなかったのです。生徒会の役員にも立候補しました。3年生になるとき，生徒会長に立候補しようと思いましたが，他の立候補の子が，学習がよくできスポーツ万能で体も大きく男女ともに人気があり，とても勝てないと思いました。その情報をキャッチし，すぐに副会長立候補に転身しました。見込みのない勝負より，可能性のある方にかけた方が良いと思ったからです。

　このようなこともあり，中学校生活が非常に楽しかったことを覚えてい

ます。生徒会活動の中学校生活が基盤となり, 学校が楽しいところと思い, 教員は良いかなと思いましたし, 友人からも人の面倒見が良いので教員が向いているよとか言われたことを覚えています。

　高等学校においては, 良い思い出は全くありません。理由は, 学習についていけなかったからです。岐阜県立恵那高等学校理数科というところを受験しましたが, 模擬テストなどの点数は大きく足りませんでした。しかし, 通学している中学校から多く受けるのと, 落ちても理数科の倍率が高く1.5倍前後 (定員80名), 普通科が定員割れしており普通科に回れるからです。しかしながら, 当日の受験問題の予想を半年前より各種分析し, 5教科の重点や予想をたてました。特に, 理科, 社会は有効でした。今では, 塾や各種受験関係雑誌などに出ているので珍しいことではないのですが, 当時は先進的だったのかもしれませんし, 各種分析が好きでした。当日は, すべての科目が独自予想のおかげでよくできました。理科は, 90％程度の的中率で, 他の科目もかなりの率で予想が当たっていました。こうして試験には合格したのですが……, その後の高校生活は非常に厳しいものでした。ハイレベルでついていけなかったからです。

　大学の進学にあたり, ポイントは2点でした。化学系の専門学部学科であることです。化学だけが唯一面白いと思い, 点数的にもある程度取れたからです。もう一つは, 理科と工業の両方の教員免許が取れる大学を探しました。もちろん自分の実力を基盤に, 国立から私学まで探しました。

　しかし, 理科 (中学と高等学校) と工業 (高等学校) の両方が取得できる大学はほとんどありませんでした。自分の実力を考えると, とても国公立の大学は困難と想定されましたし, 教員免許取得は, 教育学部 (教員養成学部) が主体でした。工業科の免許は, 現在では中学校技術科の取得コースなどで取れるようですが, 当時ははっきりしませんでした。どうしても, 理科と工業科の両方を取得するには, 大学そのものがあまりないことが分かりました。

　私立は, 関西地区を考えました。岐阜県からは特に, 私立大学は, 東京を中心とした関東地区, そして愛知県内の大学に進学する人がほとんどでした。関西系は京都市内の大学に行く人は割といたような気がしますが,

大阪府内の大学に進学する人はほとんどいなかったように思います。私は，東京や関東地方に行く勇気と資金がなく，しかも岐阜県には工学部系の大学はありません。恵那市はJR中央線というのがあって，距離（70Km程度）はありますが，乗り換えなしで，1時間10分前後で大都会の名古屋市に行くことができます。山間部の地方のわりには，便利が良いと思っています。それでも愛知県内は，地元の感じがするので外に出た方が良いと思ったのです。そこで外に出る感覚でいくつかの大学を検討し，様々な困難を乗り越えて，最終的に「近畿大学理工学部応用化学科」に進学することになりました。「高等学校助教諭免許状・理科」（大阪府）を取得し大阪商大堺高等学校非常勤講師を務め，卒業時，中学校1種理科，高等学校1種（理科・工業）をスタートし，のちに，小学校，中学校の取得及び上級免許にしていきました。後の D生活 ， Fまとめ のところで書きたいと思います。

　ところで，残念ながら，現在の近畿大学理工学部応用化学科は，高等学校「理科」の免許を取ることしかできません。それは，カリキュラムが変更になったようです。私の在学した当時は，科目と実験・実習が「工業○○化学：例：工業分析化学」「○○工業化学：例：有機工業化学，無機工業化学」「工業○○化学実験：例：工業無機物理化学実験，工業有機化学実験」，「○○工学：例：機械工学，電子工学」というような感じでした。しかし現在の近畿大学理工学部応用化学科においては，カリキュラムが大きく変更になり「工業」がすべて「応用」に変わっており，応用化学実験……などになっています。現在の応用化学科のカリキュラムでは，教員免許の取得の要件が，工業の免許が取れなくて，「理科」の免許だけになっているのです。近畿大学理工学部においては，他の学科である，機械工学科，電気電子通信工学科は，高等学校「工業」「理科」「数学」の3教科の免許が取得できます。この様に，同じ大学内でも学部学科によって，教員免許をはじめ，取得できる免許や資格が大きく変わるのす。したがって，総合的に調べる力，事前に情報をつかみ，随時情報活用をする力が重要になってくるのです。この情報活用などについては，この本の E情報 のところに記載してあるので，ご覧ください。

　なぜこの本の最初に，このようなことまで記載したかと言いますと，す

べて,事前の検索・調査が重要であること,資格や免許,学習の仕方が,若い人たちの生き方,年を取ってからの生き方にも大きく関係すると思ったからです。私自身は,地方に住み,学力も特になく,学歴的にも大したこともなく,人間的にも大したこともないのですが,小学校から中学校,高等学校での生活や学習基盤が大きく,好影響を及ぼしたと分析しています。当時は,インターネットもなく,現在のような検索もできません。しかし,重要なKeywordは,「検索能力」「本・雑誌」「カタログ集めと分析」「会社などに手紙を出してカタログを集める」「チラシから雑誌,テレビなどとにかく情報を収集する」この方式が,私を支えてくれたと確信しています。さらに人生に大きい影響を及ぼすのは,人的環境です。どのように他の人から生き方を学ぶか,人間的なつながりを持つかが最も重要です。私なりのノウハウの一端を示しますので,参考にしていただければうれしく思います。

A-04 大学時代から教員時代を振り返り,研究の再開へ

　学校教員としての人生を歩みながらも,大学時代に描いた研究者としての夢を捨てきれなかったのが事実です。実現可能な夢として,研究者をめざしたそのいきさつをここでもう一度振り返り,その流れを示したいと思いました。人生の礎となったのは近畿大学理工学部応用化学科時代であり,その基盤を示すことで教育者として今日までの経緯と研究者になろうとして取り組んできたことを明らかにしたいと思います。A-01,A-02,A-03と重複する部分もありますが,その部分は重要な要素としてとらえていただきたいと思います。大学時代のお話を中心にして,「人生の探究」の世界に歩み出してみましょう。

大学,大学院時代の経験からつかみ取ったこと

1－近畿大学理工学部時代を振り返って
　私は,近畿大学理工学部応用化学科（有機化学第二研究室：亀岡研）の出身

です。化学に興味があったこと，実用的な研究がしたかったこと，中学・高校の理科・工業の教員免許が取れる教職課程があることなどを調べ，工学系の総合大学を探しました。その結果，近畿大学の理工学部応用化学科がこれらの条件を満たしていることを見出しました。特に，工学系で理科・工業の両方の免許が取れる大学とその学科は非常に少なく，当時ほとんどが工業の免許のみでした。私のような地方（岐阜県恵那市）から，大阪という大都会に出て来ることで大学生活がやっていけるかどうか，友人などができるかどうかなども含め，多くの不安があふれていました。

　いざ，東大阪に来て，下宿先を探し，生活用品のほとんどを近大生協で入手しました。当時の生協は，21号館脇のプレハブタイプの施設でした。現在は，非常に発展し大きくなっており，21号館1Fや校舎内の各所にあります。大阪は，言葉も違い，習慣も違いびっくりしました。とにかくスピードは速い，ダイレクトで，特に南部方面は，関西弁でも言葉がきつく，最初は叱られているような感じを受けたものです。ところが，大阪は，人情が厚くざっくばらん，人間味がある地域ということが次第に分かってきました。田舎から来ているということで，周囲から段々声をかけてもらったりして，友人が増えていったことを覚えています。

　学生の本業である学業（講義・実験など）は大変厳しく試験も難しく，留年（約30％以上）してはいけないと思い，「絶対に休まない，最前列で講義を受けること」を信条にしてやってきました。教職の免許を取ることも目的だったので履修システムを調べたところ，とても理科・工業の両方を取るには時間的，カリキュラム的に非常に困難であることが分かりました。あきらめてはいけないと思い，他学部や夜間（第2部）の講義を受けに行きました。理工学部で教職を履修し，教育実習まで漕ぎつけた学生は，10％程度で，最終的に教員になったのは2，3名程度だったと記憶しています。専門科目は落としてはいけないし，教職関係科目も履修しなければならない。その結果，専門系科目49科目120.5単位，外国語科目7科目14単位，一般教育教養科目11科目44単位，教職科目10科目30単位を取り，合計208.5単位にもなりました。卒業の時，理工学部長賞の候補に上がりましたが，「優もたくさんあるけど可もあるな。プラスマイナスすると今

一歩だったね」と先生方より言われ，その時単位を取り過ぎたと思いました。これが卒業時の思い出の一つです。

2 ─ お世話になった先生方

　学生時代は，平尾子之吉先生，亀岡弘先生，宮澤三雄先生に専門的な天然物有機化学を学びました。平尾先生は，厳格な方で，オリジナルの厚い電話帳スタイルテキストで特訓を受けました。亀岡先生は，大変温かく，「丸山のような，まじめでカチカチの人間は見たことがない，人間性を広げるように」とご指導いただきました。教職が進路の一つであることを理解していただいたので，大阪商業大学堺高等学校の理科の非常勤講師として，初めて高校の授業を担当する機会をいただきました。宮澤先生には，学問から生活面に至るまで，実に親切に丁寧にご指導いただきました。田舎出身ということもあり，よく夕食をご一緒したり，相談に乗っていただいたりしました。研究室関係では，大変多くの先生や諸先輩，同期の皆さんにお世話になりました。特に，亀田宗一（モアコスメティック㈱社長）先輩は，私の兄代わりのようなもので，生活面，精神面，社会面，人としての生き方まで温かく，厳しく教えていただき，よく私を守ってくださいました。私の人生に大きな影響を与えてくださり，今でもご指導をいただいています。

　いよいよ自分の進路を決める4年生になりました。研究を続けるか教職に就くか迷いました。非常に苦労して教職の免許を取ったものですから，教員採用試験を受けましたが，残念ながら不合格でした。よって，すぐに大学院に進学を決め，研究を続けることにしました。しかしながら，大学院を出ても，研究職に就くのは非常に困難に思えました。ほぼ同期では，分析化学の藤野隆由先生（応用制御化学：就職してからも世話になっています）。武隈真一先生（有機材料化学）が大学教官になりました。そこで，研究しながら，採用試験の勉強をして，合格するまで受け続け，研究も続けようと決めました。実験室でGC-MS（ガスクロマトグラフィー）分析等をし，データ解析をしながら，夜通し実験し，その合間に教職採用試験の勉強をして，朝方下宿に帰り，少しだけ寝て，また大学に出向くという生活を続けまし

た。そうしたことから，岐阜県の教員採用試験（中高理科：高校物理・化学若干名）に合格しました。最終的に採用率が高い中学校を選択し，大学院研究中なので採用は延期してもらえないかと岐阜県教育委員会に問い合わせをしましたが，「今就職の回答をもらわないと合格・採用取り消し」との返事でした。そこで，亀岡先生，宮澤先生と納得するまで相談し，教員になることを決めました。研究室関係者には，直前まで話していなかったので，みんなびっくりしていました。引っ越しのとき，何人か見送りに来ていただき，涙が出てきたことを覚えています。当時21号館の裏が見える，大学近くの大谷酒店の2階に下宿していました。亀岡先生からは，「教職が一つのめざすところだし，近大で学んだことを生かしてほしい」，宮澤先生には，「途中で大学を去るのはやむを得ないが，研究を続けよ。論文も書け。何としても研究だけは途絶えるな」と激励を受け，大学院中退後も時々連絡を取ったりし，今日に至っています。当時，亀田先輩からは，「人間には，人を使う人と使われる人がいる。使う人間は，常に開発していかなければならない。使われる人間は，上手に使われよ」と教えていただきました。

　また，梅本和泰先生（名古屋学院大）には，大学を出てからも，ずっとお世話になりました。先生が大学で環境科学を担当しておられ，自分の研究テーマと重なる点が多く，名古屋と恵那は比較的近距離（約70Km）ということもあり，時々お会いして，資源・エネルギー・環境の諸問題から生活に至るまでお話しし，私が研究を続ける励みになりました。

3 — 教職に就いてから

　地元岐阜県の中学校の理科教員になりました。岐阜県内の中学校や小学校にて，理科を中心に各教科を教え，一教員として働く毎日でした。教育現場は非常に厳しく，実質勤務時間も朝7時30分ぐらいから，真夜中に帰宅することもしばしばでした。土日も部活動や行事でほとんどつぶれ，教科指導だけでなく，学級経営も容易でなく，「研究」の文字も頭から消えたというか，やれるような状況にありませんでした。数年の歳月が流れ，いつか研究ができるようになれば良いがと思い続け，時々理科教育や情報

教育の教育研究や実践を試みていました。現在まで，小学校5校，中学校5校，高等学校4校を経験し，この本を書いた2023年度で，42年ほど，一教員として勤務しています。

4 ─ 研究のスタートその経緯

　教育関係で環境関係の教育分野，すなわち環境教育について研究する機会を得ました。メンバーの全員が生物関係で，もちろん教育学部出身者ばかりです。その後，各教育に関する理科を中心とする研究会に参加したり，自ら研究発表をしたのですが，どうもしっくりいかないことに気づいてきました。理由は種々あるのですが，小中学校の教育界の教員は，ほぼ全部といってよいぐらい教育学部理科出身であり，工学部もしくは理工学部出身の理科の教員は，岐阜県内においておよそ皆無ということが分かりました。したがって，教育学部理科の人たちや指導的な立場の方々に指導を受けてもマッチングがいかない部分が多々あり，ときには厳しく批判も受け全く認められないこともありました。

　それなら一層のこと，自分で研究してそれを形にしていこうと決意しました。現在の環境で，研究ができる条件や内容を検討した結果，興味のあった，エネルギー・環境学関係の研究です。環境のことを調べ，より良い地球環境を作り出すにはどうすべきか。環境に優しいと言われている自然エネルギーの研究をしてみたい。そして環境を通して，社会貢献できないかなどと考えました。

　その研究の根源やシステムが，近畿大学理工学部応用化学科で学んだこと，そして，有機化学第二研究室（生物工学研究室）であり，宮澤先生のことば，亀田社長のことばでした。また，梅本先生とのエネルギー・環境問題の議論などでした。教育業界であまり認められなかったのですが，幸いにも，主に工学系列で，科学研究費（奨励研究）を申請したところ，1999年から2012年の13年間に，科研費の採択を6回ほど受けることができました。ほんのわずかな研究費なのですが，採択を受けた以上は，絶対に研究しなければならないこと，報告書や論文・学会発表などの義務が課せられ，何とか関係各所の支援やご指導を受けながら今日まで続けてきました。

土岐市プラズマ研究会（核融合科学研究所との共同研究会）で当時お世話になった，核融合科学研究所（NIFS）朝倉大和先生，現在は，佐瀬卓也先生をはじめ，多くの先生方や関係企業，専門家の方々から多くの協力や支援を受けて研究をしてきました。

5 — 研究・実践内容の紹介

　研究分野は，環境工学，自然エネルギー，工学教育，理科教育，環境教育，情報教育などです。研究を続けていくには，主たる研究場所や施設・設備も必要です。何もない私にとってどこに研究所を作るかということですが，よく考えてみると自宅以外ありません。そこで，自宅を研究所にしようと決めましたが，家族の同意や理解を得ることから困難を極めました。各種のハードルを乗り越え，思い切って自宅を私設研究所として，「恵那エネルギー環境研究所」を設立しました。「自然エネルギー・気象：研究部門」として，自宅を新築後（2000年），❶太陽光発電システム（3.6kW）❷プロペラ型風力発電システム（200W）❸ジャイロミル型風力発電システム（760W）❹太陽熱利用給湯システム（200L対応型）❺恵那ライブ気象台（気象自動計測システム），ネットワークカメラ　❻放射線計測システム（CPM ▶ μSv/h）変換などを設置しました。研究するためには，いわゆる研究室が必要ですが，自分の9畳ほどの洋間を「研究室」として，10台ほどのPCを置き，メインPC，業務用PC，計測用PC，移動用PCなど，すべてネットワークシステムを構築しLANで結んでいます。さらに自宅サーバーNASなどもありますが，現在はcloud型に移行しています。これらの研究システムについては，別途資料やWebなどに公開しており，C研究 ，E情報 のところに書きました。参考にしていただけると幸いです。

　研究を続ける中で，研究の一端を論文にして投稿するよう核融合科学研究所の朝倉先生からお勧めいただき，ご指導を受け，「日本太陽エネルギー学会」の学会誌に投稿しました。その論文が当時の足利大学の学長，牛山泉先生の目に留まり，足利大学の「自然エネルギー利用総合セミナー」の講演の一コマを頼まれました。このようなご縁で，現在，足利大学総合研究センターの客員研究員として，総研センター長で自然エネルギー環境

学系教授の中條祐一先生の指導の下で，ソーラークッカーや自然エネルギー利用，環境教育などの共同研究をしています。10年ほど，非常勤講師として「自然エネルギー特別講義」の一部分を担当させていただいています。現在，月1回もしくは2ヵ月に1回のペースで，足利大学まで，共同研究のため出向いています。また宮澤三雄先生には，近畿大学研究員に推薦していただきました。

　一方，環境実践活動については，「エネルギー環境：調査部門」として日本・世界のエネルギー事情，環境問題調査などを試みています。「エコライフスタイル：実践部門」として，エコライフ実践，エコドライブ，電子マネー・キャッシュレス生活，情報ネットワーク，食環境科学などの実践をしています。市民講座，出前講座，セミナー，講演会，イベントなどの依頼を受けることもあります。今までの講座やイベントなどで，かつて有機工業化学第二研究室（亀岡弘研究室）で学んだ，「香料」を取り上げたり，亀田宗一社長から入手した「石鹸・シャンプー」を展示したりして，部屋中が香料の香りで充満して，参観者がびっくりするというハプニングもありました。

　自然エネルギーの研究を実践活動に生かしながら，環境実践活動，環境教育活動をしてきました。学校教育だけでなく，一般の社会教育につながる活動を続けています。このような研究・活動をしていることが，マスコミ〔テレビ：CBC（えなりかずきのソラナビ），岐阜放送ぎふチャン（究極のエコハウス）や新聞：中日新聞（ぎふ人もよう，研究活動），岐阜新聞（環境活動），ソーラーシステム専門雑誌〕 F-03 などに取り上げられたこともあります。小中学校勤務時，CST（コア・サイエンス・ティーチャー）（独立行政法人科学技術振興機構（JST）事業の「優れた理数系教員上級」の認定を受けることができました。

6 - まとめ

　研究や活動の原点は，すべて近畿大学理工学部応用化学科のおかげであることを再認識しています。現在，様々な課題と高いハードルが，家庭，職場，研究現場にあります。先般の香薫会（応用化学科：生物工学研）の年会

の場やメールなどで宮澤先生はじめ，梅本先生，亀田社長の励ましのお言葉をいただき，ここでやめてはいけない，何とか続けて社会の小さな一つでも貢献できたらと決意を新たにしてきました。大した研究・実践ではありませんが，本格的にやり始めて，はや23年ほどになります。年に1報の論文や学会発表を目標に研究・実践活動を続けていく決意です。いつか，著書が出版できたらと夢を持ち続け，現在出版に向けて原稿を執筆しています。研究をいつまでも続けられるだけ続けたいと思っています。

　今回，一つの生き方としてありのままのごく一部を記してみました。「人生の探究」の一場面にすぎませんが，このような探究方法もあるという実践です。今後も各方面からのご指導を仰ぎながら，研究を続けていきたいと強く思いました。この人生の礎は多くの関係の皆様方のおかげであり，深く感謝したいと思います。

注：A-04の部分は，〔「母校での学びが人生の礎に」，理工情報，近畿大学理工学部同窓会（理工会），19, pp.15-22, 2013.〕を出典とし加筆修正したものです。

A-05 恵那エネルギー環境研究所の施設はこのようにしてできた

　恵那エネルギー環境研究所の研究施設がどのようにしてできたのかをお話ししたいと思います。この詳細は，**B研究**に記載しています。施設については，これからも出てきますが，自然エネルギーの研究をしたい，そのための研究施設が必要だ。それならば自分で作るのが最適だ……という訳です。

　最初に自然エネルギー，再生エネルギーについてとらえ，自然エネルギーの各研究の施設について説明していきます。どのような流れでつくっていったのか，これから出てくる研究所の研究部門，調査部門，実践部門，教育部門などに活用することになる原点をお話しします。

はじめに　自然エネルギーと再生可能エネルギーそして研究につなげる

　まず最初に，自然エネルギーと再生可能エネルギーを比較してみたいと思います。一般社会においては，どちらも同じような意味で使われており，

現在は，ほとんど再生可能エネルギーという言葉をよく目にします。自然エネルギーは，定期的に補充が可能なエネルギーのうち，自然現象を利用するもので，具体的には，太陽光，太陽熱，風力，地熱などのエネルギーをさすことが多いようです。一方，再生可能エネルギーは，消費後も再度エネルギーを作り出すことができるという考えで，化石資源を除く生物由来の有機性資源利用のエネルギーも含まれます。つまり，自然エネルギーに加え，「バイオマス」「温度差」「濃度差」「大規模水力」などのエネルギーも含まれます。自然エネルギーは再生可能エネルギーの一種で自然現象に限らず「使ってもまた資源が補充される」エネルギーなのです。

　ここでは，恵那エネルギー環境研究所の自然エネルギー施設をどのような思いや経緯，手順でつくってきたかということについて書きたいと思います。そして，研究施設の理工学的なシステムの機能やどのように研究に生かしてきたかなどについて，今後つなげていきたいと思います。

1 自然エネルギー研究施設，最初の太陽光発電システム設置

　自然エネルギーの研究をするためには，自然エネルギーの施設が必要です。自然エネルギーの研究所の施設としては，どんなものを作る必要があるのか？　私設研究所ということであればどのようなものが設置可能なのか？　など具体的なことを検討しました。

　まず最初に目をつけたのが，「太陽光発電」です。太陽電池は，小学校の理科の授業で取り扱いますし，一般的に認知されていた電池です。歴史をたどりますと1839年に発見された「光起電力効果」（アレクサンドル・エドモン・ベクレル［フランス］が金属板に光を当てると電位の差ができ，電気が発生する仕組みを発見したことによる）が最初とされています。その後，太陽電池の実用化としては，アメリカの人工衛星「ヴァンガード1号」1958年が最初とされています。そのころの人工衛星の写真や絵をみますと，確かに太陽電池が大きく写っています。

　さらに，日本においては「サンシャイン計画」（1973年）において，新エネルギーとして注目されました。住宅用太陽電池は，1993年頃が最初で，1994年頃から太陽光発電導入に関する補助金制度が開始されたのです。

恵那エネルギー環境研究所の最初の自然エネルギー研究施設の「太陽光発電」は，2000年11月設置で，2000年12月稼働です。設置費用460万円ほどしたと思います。もちろん補助金もあったのですが，100万円弱で，おおむね350〜380万円程度かかったと思います。当時は，非常に高額でしたが，導入の決め手は，どうしても自然エネルギー研究設備が必要だということと，先行投資によりある程度回収できるのではないか。さらに，自然に優しいということを実感し，地球に貢献できると考えたことです。この高額な資金はどうするのか，それは割と簡単で，「自動車を買い替えない」ということです。もちろん新車など買ったことがないのですが，自動車を買わなければ可能です。私の場合は，中古を10年以上乗るという生活をしていますので，エコライフスタイルの観点からも重要な実践で，なんとか資金を生み出すことにつながるのです。

　ここで一番問題になったのは，どのメーカーの製品にするかです。つまり，設置しようとしている自宅の屋根が小さくあまり枚数がのらないのです。現在通常レベルで10Kw未満が認められていますが，当時2000年頃の主流は，4Kw未満程度だったと思います。ところが各メーカーの情報が全くありませんし，近くで太陽光発電を設置している住宅などありませんでした。もちろんインターネットもそれほど普及しておらず情報収集は困難でした。

　そこで，検討メーカーとして，三洋電機，S社，K社，M社がありました。M社は，個人レベルの住宅はやらないと断られました。S社とK社は，メーカーと販売店がすぐ来てくださり検討しましたが無理でした。理由は簡単です，1枚当たりの発電量［W］が少ないために，2Kw〜2.5Kw程度しか設置できません。業者によっては離れたところに5枚ほど設置すれば3Kwは設置できるとの説明を受けました。当時の技術では，発電時に太陽電池に影が少しでもかかると全体の発電量が大きく落ちるのです。このような太陽電池の基本知識は事前研究で持っていましたので，業者の方の説明は大きくずれていると思いました。さらに，20年で回収できるというような業者のシミュレーションデータの話も受けました。しかし，私のシミュレーションと推定発電量，販売量により，無理であることは事前に

つかんでいました。この本を書いている時点で稼働22年ほどになるのですが、いまだに回収できていません。これは、事前に分かっていたことなので納得の上です。ここでもいかに調査研究などの専門性が重要なのかを再認識しました。

　では、最終的にどのメーカーにしたのか、それは「三洋電機：HIT〔ヘテロ結合型〕」アモルファス（非結晶）と単結晶のシリコン型太陽電池で、製造コストは高まる半面、相対的な発電効率が高く、温度上昇しても発電量の低下が少ない効率の非常に良い電池でした。当時1枚当たり、180Wで、小さい屋根に20枚搭載できるので、3.6Kw分搭載できました。この三洋電機HITの性能は非常によく、論文などにもまとめました。のちに、三洋電機は、パナソニックの子会社となりました。パナソニックブランドで、HITは引き継がれましたが、2020年頃製造中止に追い込まれ、パナソニックは太陽光発電より撤退しました。パワーコンディショナーは、三洋電機製ですが、内部の基本ユニットは「オムロン」です。22年間ノンエラーで順調に稼働していましたが、ついに、2023年1月に、対応のパナソニックのパワー・コンディショナーに交換しました。発電効率もそれほど落ちておらず、20年以上前の性能を保っています。一度データ分析し、記事や論文化できたらと思っています。2000年当時、日本最高の技術であった三洋電機をはじめとした日本メーカーの太陽光発電が縮小し、三洋電機ブランドのHITがなくなったことが非常に残念です。

　屋根瓦への設置の方法も当時は、瓦に穴をあけていたのですが、当研究所では、当時開発されたばかりの「引っ掛け工法」により安定した設置になっています。設置業者もなく大変でした。必死で探し、地元が良いということで、土岐市のサカエ家電（トータルシステム㈱）に設置していただきました。売電契約や補助金申請、発電量報告など非常に大変でした。それと比べてみれば、今は非常に楽だと思います。この太陽光発電にロガー機能を持たすなど研究システムにグレードアップさせるために多くの専門家にお世話になり、手間がかかり各種の課題を今も抱えていますが、ロングラン稼働をしています。

2 風力発電システム1：プロペラ型風力太陽光ハイブリッドシステム

　自然エネルギー研究施設の第二弾として，風力発電を検討しました。風力発電の歴史は非常に古く，専門家も多くおられ，文献も多いのでこのことについてはその専門家ルートにお任せすることにします。ここでは，設置の経緯などについて簡単に示します。この風力発電も太陽光発電と同様にその情報がほとんどないのです。少ないインターネット情報から電話をかけてもなかなか取り合ってくれません。15社ぐらいは電話や資料を取り寄せたでしょうか。対応していただいたのは3社ほどでした。

　各種検討し，最終的に設置したのは，ニッコー（白山市）です。この機種を導入したのは様々な理由がありますが一番大きなポイントは，ブレード（羽）が5枚タイプで通常風切り音は聞こえず，かなり風速があっても非常に音が小さいということです。3羽のタイプは音が大きく，住宅街などでは設置ができず，設置してから撤去の事例もあったようです。これらの情報は設置前につかむ必要があり，すべてインターネットからの情報を活用しました。このことからも，いかに事前に調べるか，比較しながら調べるかが重要になってきています。この考えや手法が今も様々なことに生きています。制御装置・エレコーダーは，エフテック（新潟市）です。

3 風力発電システム2：ジャイロミル型風力・太陽光発電システム

　どうして2機目の風力発電が必要かということからお話しします。研究手法の大きな柱は，データ収集分析と比較法です。この比較ということが非常に重要で，比較のために別のタイプのもう一つの風力発電が必要になった訳です。どのようなタイプのものがあるか，どのようにしたら入手できるのかなど各種調べました。設置に当たり以下のようにしました。

　数あるタイプの風力発電の中から，「ジャイロミル型」垂直軸型の風力発電を設置することにしました。「プロペラ型」は，水平軸の風力発電です。ブレードの回転など各種の相違点があり，比較するには最も良いと選びました。さらにどのように具体的に設置するのかが大きな課題でした。これも前回と同様に情報が全くありません。家庭電化製品を家庭に取り付ける

のとは訳が違います。これもプロペラ型と同様な方法で最終的に取り付けることができました。長野県飯田市の二吉建設（株）との共同事業として設置し，共同研究として情報交流，メンテナンスなどを受けながら今に至っています。

4　恵那ライブ気象台の設置

太陽光発電や風力発電の研究には，日照度や風速など各種の気象データが必要です。つまり，気象台が必要なのです。ではどのような気象システムが設置可能なのか，どうしたら実際に取り付け運用が可能なのかを検討しました。これも全く情報がありません。つまり通常の生活において，何かをしようと思ったときに必要な情報がないのです。各種方法で情報を検索，求めていくことが必要なのです。さらに，気象台システムは，非常に高価で私設研究所に設置できるレベルではありません。日本のシステムがあまりにも高価なのです。同じようなシステムで，日本のシステムは，アメリカと比較し5倍以上高価なのです。最終的にアメリカのシステム「DAVISシリーズ」を導入することにしました。当時はアメリカから個人レベルで直接製品を入手する方法は不確定でしたので，日本の代理店，岡山県岡山市の「青電舎」を見つけ入手しました。同時に，ネットワークカメラ（ライブカメラ）Panasonic製2台を設置しました。PanasonicのWeb：Panasonic business solutionにリンクされています。

ネットワークの専門家（東海市）と知り合い気象台を研究し，恵那ライブ気象台と東海ライブ気象台を設置し，共同研究を続けているのです。

5　太陽熱利用給湯システム

太陽エネルギーというと最初にイメージするのが「太陽光発電」で，太陽の光エネルギーを電気エネルギーに変換するのです。もう一つ重要なのは，太陽熱利用給湯器です。太陽の光エネルギーを熱に変換させ，水を温めるという仕組みです。これは，一般家庭などでは，太陽光発電の普及以前の昭和の時代に多くの家庭に設置されていました。いわゆる「天日利用」ということです。コストも安く，一般家庭の屋根で，100L〜200Lぐらい

を温めました。システムにもよりますが，夏場ですと60℃から80℃ぐらいになります。最近では，この太陽熱温水器を取り付けている家庭はめっきり減り，太陽光発電に代わってきているようです。

この太陽エネルギーを計測するシステムが必要となり，「太陽熱利用計測システム」をつくりました。この太陽熱利用システムは，研究用ですので計測できるようにする必要があります。さらに，屋根に直接貯水タンクタイプを置きますと非常に重量がかかります。単純に200Lならば200Kgですね。そこで，屋根（倉庫の上）には，集熱パネル，地上スペースに貯湯器と温度センサーを複数取り付けたユニットを設置しました。センサーは水温，温度上昇による温水，その関連の流量などです。さらにこのデータを自動計測ロガー化してWeb上にデータ公開し，閲覧できるようにしています。長野県飯島町のグリーヒルエンジニアリングにシステム作成を依頼しました。

6 放射線計測システム

以前から土岐市プラズマ研究委員会（核融合科学研究所：旧名古屋大学プラズマ研究所との共同研究）に参加していたことや福島第一原子力発電所の事故があり，より一層放射線に興味を持ちました。そこで，日常的に自然放射線の計測ができないか考えていました。

今回各種の計測機器がありますが，日本製は高精度ですが非常に価格が高く手に入れることができません。そこで，海外から入手したシステムで作成しました。Webシステムの構築など東海ライブ気象台との共同研究で設置しました。自然界に存在および計測できる放射線の計測の重要なシステムです。

このような研究施設の風力発電と恵那ライブ気象台は，科学研究費の補助をいただいて学術研究，教育実践研究として設置しています。

7 Web作成とネットワーク構築への思い

いままで，1：太陽光発電，2：プロペラ型風力発電，3：ジャイロミル型風力発電，4：恵那ライブ気象台＋ネットワークカメラ，5：太陽熱利

用給湯システム，6：放射線計測システムの基盤となる6システムを作ってきました。

　これらを単独の施設，計測システムとしての機能では，その機能が十分発揮できません。発揮できるにはどうするのか考えました。さらに，各種計測や恵那ライブ気象台の気象データ，ネットワークカメラの情報が授業や出前講座に活用できないか，社会貢献につなげることはできないかと思いました。

　現在では，インターネットおよびWebページは非常に整備され利用されています。また天気の情報などは，非常に多くの運営会社が存在し，無料レベルはもとより有料レベルでは相当情報があります。しかし当時はほとんどなく，もしできれば授業や講座はもとより一般的な社会でも有効に活用することができるのではないかと考えたのです。ではどのようなシステムを作ったのかの基本を示したいと思います。それは，各データをミニサーバーに格納すること。データをWeb上にあげること。それぞれのPCをLANで結び，ネットワーク化をすることです。 C-01 , C-02 , C-03 に記載しています。

8 まとめ

　このように恵那エネルギー環境研究所の研究施設は，非常に多くの方々の支援や協力のおかげで作り上げることができたのです。さらに，インターネットを活用した情報収集活用，メールなどの活用によるコミュニケーションが不可能を可能にしたと強く思っています。研究は研究部門，調査部門，実践部門，教育部門の4部門の柱であり，この本の授業，研究，生活，情報の4項目の基盤になっています。 C研究 のところに詳しく書きました。このような考え方や行動の積み上げこそが，学習や研究，生活から人生まで広がり，「人生の探究」をしながら有益な生活を送ることにつながると願い研究を続けています。

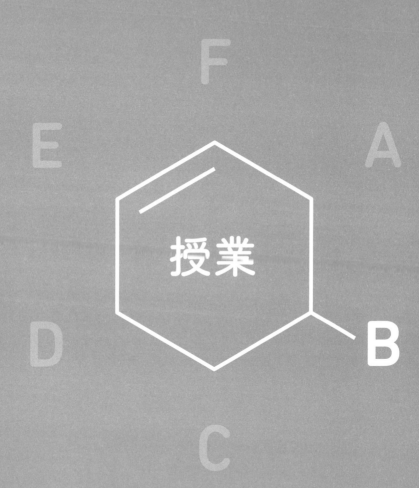

理科，理学，工学の授業や 理工系に合わせた楽しい学び方

理科（小学校，中学校，高等学校），技術（中学校），
工業科（高等学校）の授業実践はこれだ！

　私が勤務してきた，小学校，中学校，高等学校で，私が担当した教科・
科目の授業実践のいくつかを紹介します。この授業実践紹介の教科は，理
科，技術，工業科です。これらは，いわゆる理系，理工系と言われる教科
です。この授業実践の中には，理科を好きになる子供から理工系列を専門
として学ぶ学生や社会人への道筋になるヒントがあると思います。

　新学習指導要領の要素やその関連が詰まっています。この授業実践は，
常に生活に生かす，実用化を大切にしてきました。これは，学習指導要領
の「実際の社会や生活で生きて働く知識及び技能」の実践です。興味関心
を引き出し自ら学ぶ自発性の授業実践・生き方を学ぶ授業。これは，「学
んだことを人生や社会に生かそうとする学びに向かう力，人間性など」。
時代に対応した授業，ICTなどの活用，最新テクノロジー情報活用の授業。
これは，「未知の状況にも対応できる思考力，判断力，表現力など」に対
応しています。

　教職経験は，この本を書いている時点で42年目を迎えますが，今まで
長年やってきた各種の授業の方向性が，時代に対応してきたと確信してい
ます。

Subtitle Keyword

B-01　学習は教科書を基盤に，教科書の有効活用で深め広げる
B-02　同じ教科で複数の教科書を参考書として活用する極意
B-03　各教科の連動，共有化，関連付けで学習効率を高める
B-04　理科と技術の融合化で学びを相乗化させる
B-05　理科・理学から工学への道筋をつける
B-06　理工系は工学系，理学系，数学の共有化でステップアップ

B-01　学習は教科書を基盤に，教科書の有効活用で深め広げる

　学校の教科の授業には，必ず対応の教科書があります。小学校，中学校は義務教育なので，対応の文部科学省検定済教科書を使います。高等学校も同様に文部科学省検定済教科書を使用します。大学においては，授業を実践する先生方のスタイルで，必ずしもテキスト，書物，プレゼンテーション，教科書タイプを活用する訳ではありませんが，多くはテキストなどを活用します。その教科書を使った有効な学習方法を示しましょう。

1　教科書を最大限活用する

　教科書は，大変よくできている書物です。超大昔（今から50年以上前）教科書は白黒でした。それがカラー印刷になり，最近は写真や図も多く，レイアウトも工夫され非常に学習しやすい図書になっています。日本の小中学校では，無償で配布されます。デジタル教科書もあります。

　その教科書の多くは，学習指導要領改訂と連動しながら改訂されます。おおむね，小学校，中学校の場合は，4年ごとの改訂で，2年で小改訂が

ある場合が多いです。高等学校の教科書は，小中学校とは違い，必ずしも4年ごとに全面改訂になっている訳ではありません。小から大改定まで様々です。教科書会社および教科書によって大きく違います。カラーページのある教科書もありますし，白黒だけの教科書もあります。おおむね，普通科の教科はカラーページスタイルが多く，専門教科の教科書は今までは白黒が多く，令和4年度の新カリキュラム対応教科書から，実教出版の「工業科」の教科書において，大きく改訂され2色刷りやカラー編集も増えてきました。専門的な教科で，履修する生徒が限定的（工業科の生徒）のため出版数を多くできない側面もあります。さらに，専門的に対応できる出版社からの発行となっているので対応出版社も限られているのです。現場で教科書を活用していて，よく努力されていると実感しています。

2 各教科書を共有化して活用する

　専門教科の「工業科」の教科書は，現在使用している実教出版の教科書は専門性が高く，現在，大学の1，2年生レベルに対応できる内容も多く，実際同等レベルの教科書を大学でも活用しているところもあるようです。これらの教科書をうまく活用することにより，大きな教育効果を高めることができるのです。

「機械工作」の教科書においては，機械材料の部分を「化学基礎」「化学」「工業化学」の教科書との共有化ができます。「電気回路」の教科書においては，「物理基礎」「物理」「数学」などの教科書との共有化ができます。詳細の事例については，B-04，B-05，B-06で提示することにします。

　この考え方や実践は，小学校でも活用できます。私の実践では，「小学校理科」の生物分野の学習では，「生活科」や「図画工作科」との学習の共有化もできますし，「生物の成長とその環境」を視点に置けば，小学校3年生から6年生までの生物分野の共有化も可能です。この考え方により，「短時間で深く，興味深く」学習することが可能になるのです。中学校においては，「理科」と「技術科」の共有が可能ですし，実際にこの2教科を担当していましたので実践可能です。この実践とその成果については，学会発表と学術論文にもまとめましたので，ご興味がある方はぜひご覧い

ただければ幸いです。後述 **F-01** の論文リストに関係文献を一覧として掲載しました。

　このような実践は、すべて教科書の活用が中核になっています。教科書を読めばその内容から流れ、重点や共有点が分かるのです。もっともっといろいろな立場から教科書を活用してみませんか。次ページから同じような内容が続きますが、事例を入れて説明をしていきます。

B-02 同じ教科で複数の教科書を参考書として活用する極意

　前ページの **B-01** のところで、教科書の重要性と共有化して活用する例を書きました。ここでは、同じ教科で複数の教科書を活用して、授業をしたり学んだりすると有効であるというお話です。小学校、中学校では同じ教科で複数の教科書があります。高等学校においては、普通科の教科では多くの教科書があり、それぞれ特徴があります。教科書の採択は1種類ですが、参考書的な使い方ならば、他の同じ教科の教科書を活用することが可能です。これをうまく利用して学習をしていくという提案です。

1 教育の基盤は「学習指導要領」

　公教育において、学習指導要領をじっくり読んで、どのような学習をしていくのか、学習指導要領の要求しているものは何かについてしっかりとつかむことが大切です。これにより、何をどう取り扱い学習していくかが分かります。

　各教科書会社は、文部科学省告示の「学習指導要領」に沿って、教科書を企画、作成する訳です。したがって、公教育においては、「学習指導要領」が最も重要な訳です。この内容を、しっかりと理解し実践することが求められます。この学習指導要領は、教育関係者だけでなく、一般の人でも入手は可能で実に安価です。各教科ごとに出版されており、幼稚園、小学校、中学校、高等学校、特別支援学校まであります。価格も安いものは、小学校音楽編の64円、小学校理科編の65円から高等学校の工業編の1050円、

水産編の1785円まであります。（価格は調査時）

　内容やページを考えると，出版物としては非常に充実し安価なのです。教育関係者だけでなく，一般の方も手に取って読まれたらなるほどとなるかと思います。インターネットWeb上でも閲覧可能です。

2 同じ教科の教科書でも複数種類を活用

　授業では，採択された文部科学省認定済教科書を活用しなければなりません。実際に，各学校において採択された教科書は，各教科1種類だけです。

　しかし，同じ教科でも，出版している教科書会社は数社ありますし，同じ出版社でもレベルや内容に応じて複数あります。それをすべてそろえて，参考書として活用すると極めて有効な情報が得られ，授業の質が高まるという訳です。私は小学校においては理科を中心に教えてきましたし，中学校でも理科の教員として長年授業をしてきました。理科準備室などに関係の教科書をすべてそろえて置き，教材研究はもとより授業中に活用していくのです。

　例えば，中学校理科でいきますと，令和5年現在，東京書籍，大日本図書，学校図書，教育出版，新興出版社啓林館の5社があります。これらの教科書をすべて入手し，教材研究や授業に活用してきました。教科書は，教材研究や授業だけでなく，一般の参考書としても極めて重要な書物です。手元において活用したいものです。各教科書の詳細などについては，機会をとらえて見ていただくことにしたいと思います。

　教科書は，小学校，中学校，高等学校で非常に多くの科目があり，各出版社が出版していますので相当量です。それぞれの教科書の内容については，文部科学省関係が多くの情報を掲載しています。さらに，各出版社がWeb上に詳細に情報を公開しています。さらに教科書に関する関係機関，団体，販売会社がWeb上に全体リストやリンクなどを掲載していますので，調べれば相当量の情報が入ります。興味のある方は，ぜひ調べてみてください。このように，教科書と関係資料を活用することで，学校の授業だけでなく，生活の上での情報や，授業の立場で考えれば教員のコーディネート力をつけることができます。児童・生徒の立場であれば，学習の基盤と

なります。教科書は，学習のヒント・エキスを出す魔法の書物なのです。

B-03 各教科の連動, 共有化, 関連付けで 学習効率を高める

　小学校，中学校，高等学校には多くの教科があります。これら各教科は，中学校から教科担任制なので対応免許を持った教員が教えます。小学校においては教員免許は全科なので，主に担任が教える場合が多いのです。近年小学校においても教科担任制が導入され，理科専科の教員が配置されてきています。私の場合は，小学校で6年の担任をしていても他の4〜6年の理科授業を多くやり，理科，算数，国語，社会以外は別の教員が授業をしていました。教科担任制の走りかもしれません。

　中学校においては，理科と技術科を担当しました。高等学校においては，理科の他，工業科の機械系，電気系，情報系などを担当していて分かったことがあります。それは，その各教科には，類似した内容，共有内容が非常に多く，それらを関連付けしたり統括したり，横断的，総合的に学習することで短時間で理解が深まり，学習効果が高まるということに強く気がつきました。この事例を紹介します。

　まず，「理科」について考えてみましょう。「理科」という教科は，各種の分類方法や教科内容のすみ分けなどがあるのですが，おおむね，物理分野，化学分野，生物分野，地学分野に分けることができます。これらを学年で積み上げますと大きな流れがあり，つながっていることが分かります。

　生物分野は「小学校の生活科の関連も含め，小学校，中学校，高等学校」と続き，いわゆる「生物物語」として連続しています。例として，このつながりを利用しますとおおよそ60〜70%の共有化，連続性を持たせ短時間に深く学ぶことができます。「種子からの植物の生長▶光合成」まで，一本化できます。

　化学分野も「化学物語」として，物質をミクロからマクロへとらえ，実用製品までの流れを一本化できます。これが工業科の「工業化学」や「化

学工学」などにつながっており，完全に一つの大きな流れに乗せることができます。

　物理分野は，「運動とエネルギー」「波：音，光」「電磁気」「原子」などの4領域に大別されます。それぞれが工業科の科目につながっています。例として，「運動」は「機械設計」，「電磁気」は「電気回路」などです。

　地学分野は，「地球の構成・変遷と運動」「大気と地球：天気の変化」「太陽系と宇宙」の3領域に大別できます。天気・気象の学習は，自然エネルギー分野やエネルギー環境側面の学習に直結しています。

　このようにとらえて，理科と工業科の連結や共有化の視点で考えてみると，物理系と化学系は工業科の機械系，電気系，工業化学系に直結していることが分かります。縦列として，学年，年数での流れと共有性，積み重ねの側面があることが分かります。横列として，科目の連結性や教科の共有性，教科内容の共有性があることが分かります。つまり，縦の面と横の面が見事に重なり，さらに共有化され，色濃く深く重なっているのです。

　この考えを授業や教科を教える教員の立場からとらえるとより短時間で効率的に内容を深め興味ある授業が可能です。授業を受け学ぶ立場の児童，生徒からとらえますと，内容をよりよく理解し深く，しかも実用化につなぐ流れで学習できるのです。令和2，3，4年度完全実施の小学校，中学校，高等学校での新学習指導要領の，「学びに向かう力」「知識及び技能」などにマッチしており，実践の一つの方式と思っています。

　このような考えを先行的にとらえ，今まで実施してきた研究・実践があり，日本工学教育協会，日本技術史教育学会などが学会発表や査読論文などにしてあるので，良かったらご覧ください。巻末 F-01 にもその資料の一覧があり，関連事項は，この本の B授業 にも書いています。

B-04 理科と技術の融合化で学びを相乗化させる

　中学校の理工系列の教科は，「理科」「技術科」（教科「技術・家庭」の技術分野です。この本では，これを「技術科」「技術」と表記します。）この両者の学習内容が，極めて類似していたり，同じ内容が多くあり，理科は理論的，技

術科は作業・実習的な側面から学習します。

　そこで、両者を共有化して授業実践を行えば、短時間で非常に効率的で質の高い授業ができると考え実践しました。

　このような共有化のとらえは、あまり知られていないようです。ほとんど話題にもなりません。私の中学校において「理科」と「技術科」を同時にやっていた経験から、両教科を融合化することで、学習が深まり学力が身につくことを紹介します。この研究実践は、学会発表と論文にしてまとめてあり、**F-01** に記載しています。

　今まで教科の共有化についてお話ししてきました。同じ教科の教科書を複数使う利点などを書いてきました。ここでは、類似した異なる教科を融合化して授業をしたり、学習したりする有効性について書きたいと思います。

　そこで、私の専門教科である「理科」と隣接的な教科「技術」を担当していたのでこの2教科について具体事例をあげて書いてみたいと思います。理科という教科は、小学校、中学校、高等学校まであります。技術科は中学校だけ存在する教科です。技術科は、小学校の図画工作科と連続している側面もあるのですが、理科のように小学校、中学校、高校と連続していません。実は、技術科は工業科へと引き継ぐ専門的な教科なのです。

　もう少し考えてみますと、中学校の技術科などは、理論を活用した技術・技能を学ぶ場ですし、実習や作業を通して、実用化や応用に結び付きます。ではどこに続いているのでしょうか。これは、工学部系列、工学教育などに続くものです。即ち工業高等学校、工科高等学校、高等学校工業科などにおいては、機械系、電気系、応用化学系など各専門科目で、理論的な学習を進めると同時に、実習や実験をしています。工業科の高等学校では、この理論と応用・実用化を同時にやっていることになり、授業実践をしてそのように思います。

　この考え方を中学校から実施すると極めて有効です。例をあげますと、物質の学習（木材、金属、プラスチック）、電気の学習（回路、計算）など実に共有しているのです。詳細は、以下の表と **F-01** 論文をご覧いただくとよ

	物理学系	化学系
理科	• 物理学基礎：光, 音の性質, 力 • 電流とその利用, 電流回路 • 運動, 仕事とエネルギー	• 化学基礎：物質, 固体 ▶ 液体 ▶ 気体 • 原子, 分子, 化学変化, 化学反応 • イオン, 化学電池, 燃料電池
共有	• 運動エネルギー • 自然エネルギー • 発電, エネルギー変換	• 物質, 材料, 素材 • 化学電池 • 電気エネルギー
技術	• 発電システム • 光, 電気エネルギー • 各エネルギー変換 ▶ 物理学 • 電気, 機械製作活動	• 材料：木材, 金属, プラスチック • 制作物に適合した材料選択 • リサイクル, ものづくり • 直流, 交流, 電池
	生物学系	地学系
理科	• 植物のからだ, 生育環境, 光合成 • 成長と増え方 • 遺伝子, メンデルの法則	• 地層, 火山, 地震, 歴史 • 気象と天気の変化 • 地球と宇宙, 天体の動き
共有	• 植物の育成環境 • 動植物の生育の仕組み	• 土壌環境, 生育環境 • 地球環境, 生育と気象関係
技術	• 生物育成の技術 • 栽培に必要な環境, 光合成 • 生物育成と環境, 土壌	• 植物, 動物の生育環境 • 漁業, 水質, 大気, 地質環境 • 植物観察, 栽培活動

く分かると思います。この理科と技術を融合化させると有効な学習になるのです。そこで理科と技術科の共有関係を以下の表にまとめました。

B-05 理科・理学から工学への道筋をつける

　理学は, 自然科学（自然に属する各種の対象を扱う学問）の基礎研究の総称です。物理学, 化学, 生物学, 地球科学, 天文学, 数学など基礎的研究を主とする学問です。工学は, 物理学, 化学, 生物学, 地球科学などの基礎的科学を工業生産などに応用する学問です。これを学校教育に置き換えてみると, 小学校, 中学校, 高等学校の理科が理学で, 小学校の図画工作と中学校の技術と高等学校の工業科が工学だととらえることができます。実際に授業をやっていてこの分類のように思います。

　ここでは小学校から理学と工学の融合と連続性を図り, 科学的な力と技術的な力の土台を作ることにつながる提案をしたいと思います。

もう一度考えてみますと理学は，自然科学（自然に属する各種の対象を扱う学問）の基礎研究の総称です。物理学，化学，生物学，地球科学，天文学，数学など基礎的研究を主とする学問です。小中学校においては理科，高等学校においては，科学と人間生活，物理系，化学系，生物系，地学系です。

工学は，高等学校においては，工業高等学校などに見られる高等学校工業科の科目と関連しています。教科書の「工業」と書いてある科目がそれに相当します。工学は，物理学，化学，生物学，地球科学，などの基礎的科学を工業生産などに応用する学問です。現在工業高校の学科名は，電子機械科▶電子機械工学科など「○○工学科」というように変更も見られます。

理工系列の学習においては，理学，工学を分けて考えるのではなく，理学から工学への道筋と両者のコラボレーションが大切だと思います。工学と理学の実質的な違いはあります。教育する側は，理学だけでなく工学への方向性を描き，実践することで学習意欲を高め学習の意義が明確になると思うのです。

小中学校において，直接的に工学につながる科目は，小学校においては図画工作（図工）の工作分野，中学校においては技術科です。図画工作においては，理論や原理はあまり存在せず，工作つまり作ることが主となります。技術科は，理論や原理がしっかり存在します。そこで，理学と工学の融合と連続性を図り，科学的な力と技術的な力の感覚と土台を作ることが重要と考えるのです。今，学んでいるのがこんなことに結び付き，学習が実用化に結び付いていると実感・体感させる教育が重要だと考え，実践してきました。

理科は，小学校では3年生からです。理科は，今まで書いてきたように，科学の基礎理論や原理，科学的な現象の解明などいわゆる基礎的な側面が強い科目です。この理科の原理や理論をもとに工学へ応用していくという側面もあります。一言でいうと理科では，理学の基礎・土台となる学習内容となっており，その理学の基礎理論などを実用化していくのが工学といえると思います。

そこで，小学校から工学につながる実用的な要素を授業や学習，普段の

生活の中に取り入れようと考えました。実用的な要素を主体にすれば，興味関心や学習意欲が高まり，将来理工系列に進む子供たちも増えていくと考えたのです。

　その方法は，生活の身近な製品を教材として取り扱うのです。理科では，ビーカーなどの代わりや工作にペットボトルを取り扱うのです。これはどこでもやれていることなのですが，ペットボトルが，プラスチックであること，ポリエチレンテレフタレート（polyethylene terephthalate：PET）炭素，水素，酸素の重合体であることを示します。これにより，一つの教材で，多くのことが学べ，興味・関心を高めることができるのです。これが，工学教育の基盤の一つになるのです。このような学習も，1つの「横断的総合的な学習」型と言えるかもしれません。さらに C-10 に書いてある，STEAM学習に通ずる側面もあると考えています。連続性や共有化のとらえが，小学校理科から工学への道筋をつけ，学習だけでなく，理工系への進路につながると思っています。

B-06 理工系は工学系，理学系，数学の共有化でステップアップ

　科目の共有化や共通化の続きです。高等学校「工業科」の専門科目に，「機械設計」があります。この内容は，主に「力学」的な内容です。これは，中学校理科および高等学校物理の力学的部分と共有しています。建築系の「構造力学」とも共有することが可能です。そして，力学の計算などは数学の考え方や計算方法をそのまま使います。

　さらに「機械工作」は，機械の材料（金属，非金属など）の加工方法，処理方法などを学ぶ科目です。応用化学系，材料化学などと共通する学問で，化学との共有化を図ることができます。このように，工業科，工学系の科目は理科や数学などの学問と共有できますし，理学の発展や応用として各教科の共有化によりステップアップが可能なのです。

　中学校理科第1分野において，「力のはたらき」，中学校技術科でも同じ

ような部分があります。高等学校物理において，「運動の法則」を学びます。これと同じ内容を工業科「機械設計」で学びます。実際に授業を実施していて，その内容は基本的に同じであり，表示や計算に至るまで共通していることが分かります。工業科建築系の構造力学でも同様な側面があります。

　一方中学校理科第1分野において，「物質とその変化」，中学校技術科の「材料」の学習や，高等学校理科，化学の「物質の学習」において非常に多くの共通点があります。これは，工業科「機械工作」にも全く同じ内容があります。つまり，「機械工作」の機械材料の取り扱い部分と共有しているのです。このような共有分を共通化し取り扱うことで，理解を深めることができるのです。

　工業科の生徒であれば，中学校や高等学校の理科，工業科の科目で同じことを学んでいることに気がつくのですが，実際に気がつく生徒と気がつかない生徒がいます。教員も同じようなことが言えるかもしれません。教員側で言いますと，教科担任制なので複数教科を同時期や他校種で担当することが少ないからです。私の場合は，小中（理科），高（理科・工業）免許があり，小中高をすべて担当し，同時期に複数教科を担当したので非常によく分かるのです。生徒側で考えますと教科によって教科書や担当の先生も違うのですが，教科は違っても学んでいる内容に共有点があったり，他に応用できるというとらえになるのです。ところが，各授業を受け定期テストなどのテストもそれぞれの先生の対応で出題されるので，共有化，応用化に気がつかないことが多いのです。

　ところが，このことに気が付けば，少ない時間で効率的な学習が可能であり，理解力が高まるのです。内容が共通していたり，共有化するという手法を授業の中でやってきましたが，これらの実践を組み入れた授業が非常に効果的であるのです。このような考えで，小学校の理科をスタートとして，中学校，高等学校，大学と進学するにつれてその共有部分をうまく使いながら学習をしていくと大きな効果が出ると思うのです。小学校理科，中学校理科，中学校技術科，高等学校理科，高等学校工業科，さらに，大学への連結の入り口につながっていきます。その関連を以下の表に示します。

B-06-1 理工系領域の小学校, 中学校, 高等学校, 大学関連一覧表

学校	小学校 低	小学校 中高	中学校		高等学校		大学	
科目・学科・学系・領域・分野・コース等	生活	理科	理科	物理学系	科学と人間生活	物理	理学部系	物理学系
				化学系		化学		化学系
				生物学系		生物		生物学系
				地学系		地学		地球科学系
	理科につながる関係内容	生物・光・熱・力 電気・運動	技術科	材料加工技術・木質	工業科	建設工学系	工学部系	建築・土木系
				材料加工技術・金属		機械・電子機械系		機械系
				エネルギー変換		電気・電子工学系		電気・電子系
				生物育成 ▶ 農学		工業化学系		応用化学科系
				情報の技術 ▶ 工学		デザイン系／情報系		情報学科系

B-07 理科から工学教育へ, 学びを実用化につなぐ楽しさ

　小学校, 中学校, 高等学校の理科 (物理, 化学, 生物, 地学など) は, 理学的な流れの教科です。一方, 工学教育 (ここでは, 理学を応用・発展させ, 実用化, 工業科に結び付ける学問とその教育), 工業教育 (ここでは, 工業高等学校や高等学校工業科において行われる教育), 専門科目 (機械系, 電気系, 建設系, 応用化学系, デザイン系などの工業科の科目) の有効性と学習内容を実用化につなぐ授業法をお知らせします。工業高等学校, 高等学校工業科の教育は, 「工業教育」ということが多く, 工業系大学での学習は「工学教育」ということが多いようです。ところが高等学校においては, ○○工科高校とか, 学科も, 機械工学科群電子機械科など「工学科」という言葉を使うことが多くなってきました。ここでは, 詳細な区別はしないで, 「工学教育」という表現で書きたいと思います。

　よく, 小中学校などでは, なんで勉強するのかとか, 学校の勉強は将来役立つのか, などの質問を受けることがあります。また, 高等学校普通科スタイルの学校では, ほとんどが普通科に関する教科で専門教科や実習などはありません。これは, ある一面的なとらえなのですが, 大学や専門学

校などの進学のための普通科的な教科を学習しているという側面が多いように思います。ところが，高等学校工業科などの専門高校は，直接就職の技能や能力取得に直結しています。また，工業科の学習においては，大学の工学系に直結しています。実際に，工業高校の生徒に，機械系，電気系，情報系の授業をし，大学の工業系1，2年レベルの内容を取り扱っていると実感しました。このように，工業科の内容は専門的であり，就職に対応する実務的学習と言えるのです。

　これらのことをとらえて，小学校，中学校，高等学校の「理科」の授業を考えてみましょう。つまり，普段の授業は基礎的な教科なのですが，学習内容が生活や実用化，工業科につながっており，今学習している内容が将来の生活，就職，学問に直結しているという考え方と授業方式です。

　さらに高等学校工業科における授業，機械系，電気系などは直接，就職や工業系の大学，工業系の専門学校の学問に直結しています。そして，それぞれの科目に，工業系の専門実習が行われます。「工業技術基礎」「電子機械実習」「電子機械製図」「課題研究」などの実習科目がありますが，これらとの連動によりその効果をより一層高めることができるのです。

　その実例の授業実践の一端を示します。

事例1 理科：物理系，工業科：機械系，電気系の実践

鉄人28号：昭和時代のアニメ「鉄人28号」は，昭和の時代初期から中期に開発を開始し，エンジニアの技術力と開発に対する情熱で，28番目に開発されたロボットです。（経緯：技術史）

実写ドラマ版，アニメーションとして，

1）設計：理科＞物理＞力学＞機械系学習＞機械系
2）リモコン：鉄人28号……電子機械科

事例2 理科：物理系，化学系，工業科：機械系，電気系の実践

鉄腕アトム（1951年〜）：手塚治虫の長編漫画。少年型ロボットの活躍を描く。鉄腕アトムのエネルギーは，一作目は，核分裂の原子力エネルギーであった。二作目からは，核融合のエネルギーとなった。

核分裂，核融合のエネルギー，ロボット工学，人工知能
1）設計：ロボットとして，電子機械，プログラム
2）知能：人工知能AIのはたらき

B-08 理工（理学・工学）系科目の連結性をつかむ

　理工系の学習内容の流れを考えてみましょう。理科は，小学校の３年生からあります。これが，中学校理科と技術科につながります。そして，高等学校の理科と工業科につながるのです。さらに高等学校の工業科専門科目の学習は，大学工学部系の学習に連結し，さらに深まっていくのです。この流れをつかみ，理工系の学習を考えてみましょう。

　基礎学習というと小学校から中学校，高等学校まで，ほとんどいわゆる「普通科」と言われる各科目，算数・数学，英語などが非常に多く取り上げられています。国語，数学，英語の３教科ができれば，他の教科もできるというとらえが多いのかもしれません。大学入試や採用試験なども基礎科目として３教科ができれば，他の教科もできるという考えです。

　しかし，理科や工業科などの学びは，具体的な実験・実習が必要で，基礎科目ができれば理工系の科目や技術・技能ができる訳ではないと考えます。理工系の科目は，高等学校，高等専門学校，専修学校，大学などの専門的な教育機関でこそ学びが深まるのです。そこで，学びを深めるためには，小学校から大学レベルまでの学習の流れをつかむことが重要になってくるのです。

　これだけではありません。工学系の進路を考えたときに，工学系の専門科目は，実務と直結していますし，実際の製品などを見る側面でも有効です。応用科目，実務科目と言ってもよいのかもしれませんし，学んだことがすぐに実用化に直結しており，実際に社会にあふれています。

　高等学校の普通科の学習内容については，大学受験対応などで様々な情報がありますが，工業科の学習内容については，ほとんど情報は見られません。これは，工業科の科目を受けている高校生は極めて少なく，全高校

生の約7％程度であること，大学の受験科目に工業科の科目がないので認知されにくいのです。ところで小中学校の理科，中学校の技術科が高等学校の工学科に連結していることは示してきました。さらに詳細に見ていくと工業科の科目は，下記の図にあるように，大学工学部の各科目に連結しています（工業科を卒業して大学工学部系に進学した生徒や大学工学部系の先生に，高等学校工業科の教科書やカリキュラムなどを見せていただきお話を聞くと，専門科目として，大学2年生ぐらいまでは，対応できるのではないかとコメントいただきました）。

　私の手元には，超大昔になりますが，大学時代の教科書が少し残っています。その大学時代の教科書と高等学校工業科の教科書を比較しますと大学の2年生の入り口ぐらいまでは対応できると思います。例えば高等学校工業科において，「機械工作」という科目があります。この機械工作の科目は，大学の機械工学概要と同様な内容です。ここで改めて，理工系科目

B-08-1 理工系科目系統図，理科・技術・工学系専門科目等配置図

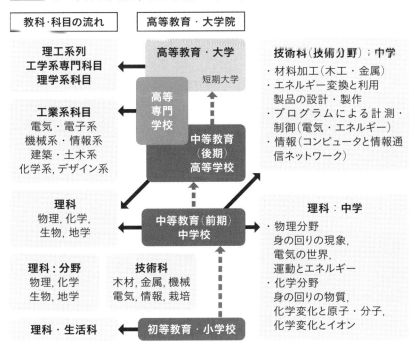

の系統図として，小学校，中学校，高等学校，高等専門学校，短期大学，大学までの流れを図にまとめてみました。理工系の流れが，小学校から大学，大学院まで連続していることが分かるかと思います。

B-09 生活用品を授業に活用し，学習を身近なものに

　理科の化学実験の分野において，教科書などに記載の実験は，複雑な要素がない方が分かりやすい，試薬などの純粋な製品を使うことの方がはっきりするというような理由で，試薬を使って実験をするようになっています。例えば，酸性・中性・アルカリ性の学習に塩酸や水酸化ナトリウムなどの試薬を使います。

　ところが身近な素材や生活と結び付けた製品や物質や素材を使って実験したり，学習をしたらどうなるでしょう。より興味関心，学習意欲が高まり，複雑ではなく同じように理解が深まる実践事例を紹介します。

　小学校3年生から理科の授業がスタートします。いろいろな身近な現象から入り，その理論を学びます。これは，理論・基礎から学んでいくというスタイルです。近年教科書の編集において，導入では，身近な現象や場合によっては製品などの写真や資料などから入る場合があります。中学校においては，より一層その色彩があります。つまり，生活用品や身の回りの素材を使うのです。化学系の石けんなどの素材はもとより，光の学習であれば虹そのものの色と順番を取り上げるのです。以下にその具体的な例を示しましょう。

　中学校や高等学校の化学分野の学習において，酸性，中性，アルカリ性（高校では塩基性）の学習やその実験に酸性として塩酸や，アルカリ性として水酸化ナトリウムを使います。さらに，液性を調べるには，よくリトマス紙を使います。これを次のように置き換えたらどうでしょう。

　酸性には，酢（食酢：酢酸を成分としています。），中性は，水道水，お茶，ミネラルウォーターなどを使います。アルカリ性として，洗濯石けん（粉

タイプ，液体タイプなど）を使います。このようにすると身近な製品を取り扱ったり，実験で調べることで，学習している液性を学ぶことができます。さらに，安全性という側面でもその有効性が出るのです。

　一方，液性を調べるのにリトマス紙を使うのですが，リトマス紙もしくはリトマス液は，酸性は青色▶赤色に変化，中性は色変化なし，アルカリ性は赤色▶青色変化しますが，非常に分かりにくいのです。これをBTB（ブロモチモールブルー：bromothymol blue）に置き換えることで，酸性（赤色），中性（緑色），アルカリ性（青色）の1試薬で3色変化しよく分かります。これは，液性を調べる最も有効な方法で，身近なアルカリイオン浄水器などの水の液性を調べる試薬などにも使われています。また，ユニバーサルpH試験紙（ロール紙，スティックタイプなど）を活用することで，実験結果がはっきりするのと指示薬による分析方式が分かり，各種の検査に使われていることも提示できます。これが各種の機器分析化学や医療などに使われている実例につながります。

　このように水質実験に身近な物質や測定方法を活用すれば，興味・関心が高まり理解が深まることになるのです。この実践は，研究授業や実践論文，出前講座やサイエンスショー資料 **D-14**，**D-15**，**D-16** などにましめています。

　さらに，高等学校においては，化学基礎・化学などでは，金属，プラスチックなどの実用製品を全体の導入に使っています。その後，基礎的な理論化に進みます。ところが，工業科の教科書においては，工業化学1，2，化学工学においては，実用製品と関連させた学習，例として，石油を原料とする身の回りの製品：ゴムタイヤ，洗剤，ペットボトル，ポリ袋，CD，DVD，衣料品類，電気製品類など多くあります。これらのような実用製品を取り扱うことで興味関心だけでなく，科学的な思考，実験への意欲と必然性などが生まれます。つまり，実用製品は応用で，基礎を学ばないと進めないとか基礎・理論が先で，そのあとに応用，実用製品がくるという発想から，基礎・理論と応用・実用を並行処理していくというスタイルです。

B-10 理科の授業を生活と結び付け, 学習を楽しく

　理科は, 小学校3年生からスタートし, 中学校, 高等学校まであります。中学校では, 理科は第1分野（物理, 化学系）, 第2分野（生物, 地学系）です。高等学校においては, 科学と人間生活, 物理基礎・物理, 化学基礎・化学, 生物基礎・生物, 地学基礎・地学, 理数探究などがあります。そこで, これらの理科の授業を様々な生活と結び付けて授業をしたらどうでしょうか。理科そのものが生活の中にあるのです。ここでは, 化学の内容を具体的に示しながら説明したいと思います。

　さて, 理学と工学を考えると, 大学においては, 理科が理学部, 工業が工学部, その両者の組み合わせが理工学部といえるでしょう。近畿大学理工学部には, 工学系の応用化学科がありますし, 理学部系の理学部化学コースがあります。ここでは, 理科の化学分野の授業において, 児童・生徒が, 今習っている学習の理学部系の内容が, 工学系の応用化学で実用化され, どのように社会に役立っているかを示した授業展開の実例を示したいと思います。

　化学関係の学習（中学校, 高等学校）で, 有機物質, 有機化合物を取り扱います。化学物質, 不飽和アルコール $C_8H_{16}O$ を取り上げたら, 不飽和アルコールの説明に加え, すぐさま, どこに利用されているのか, 生活に役立っているのかを取り上げるのです。「透明な香料サンプル」を示します。

　さて, この物質はなんでしょう。においを示して……1-オクテン-3-オール（1-octen-3-ol）と言います。「なんだこれ, 訳が分からない」となりますね。「何のことか分からない」との声が聞こえます。そこで「何のにおい」と問います。「マツタケのにおい」「これは, 別名（慣用名）として, マツタケオール, マツタケアルコールと呼ばれています」というと。「あれ, マツタケって, あの食べるマツタケ。料理に入っているマツタケ。値段が高いので食べられないし, 料理に入っていてもほんの少し。マツタケの吸い物なら食べたことあるよ……」ということになります。マツタケの吸い物などは, ほとんどマツタケが入っていないけど, どうしてマツタケの吸

い物だと思うの……と聞けば，「だって，マツタケのにおいがするから。マツタケの香りがするから」となります。

しかし，マツタケの香りは，加熱するとほとんどとんでしまいににおいが残りません。「どうしてか？」と問うと，「どうしてだろう」となります。

そこで，「においがつけてあるよ」「香料が入っているよ」「エー」となります。その香料が，このマツタケオール。IUPAC命名法 1-オクテン-3-オール（1-octen-3-ol）。

$C_8H_{16}O$, 構造式

ここに今習った，不飽和アルコールが使われているのですね。この物質は，天然もありますし，化学合成も可能です。もう一つの，マツタケのにおいを出している化学物質は，メチルシンナメート（桂皮酸メチル）ケイ皮酸メチル，methyl cinnamate，分子式 $C_{10}H_{10}O_2$ です。

$C_{10}H_{10}O_2$, 構造式

これらの化学物質が，もともとのマツタケに入っているにおいと同等で，化学合成でき，これが，香料として添加されていることもあるのです。

このように，今学習している化学物質が，生活に役立っている，食品に役立っていることが分かります。さらに，石けん，シャンプーなどのにおいも取り扱います。食品香料をフレーバー（flavor），香粧品香料をフレグランス（fragrance）といいます。このことも具体的な香料サンプルを示しながら，におい当てクイズとともに授業で取り扱います。このような素材は，「魔法の教材」で，授業の効果は，小学校，中学校，高等学校，大学まで，実践実証済みです。実用製品や具体物を使うことは，最も有効な授業だと

確信しています。

B-11 身の回りの応用化学の実用化製品や現象を授業に活用する

「身の回りの実用化製品を授業に活用」してみましょうというお話です。実用化製品と言いますと，洗濯機，冷蔵庫などの白物家電，テレビやパソコン，スマートフォンなど情報関連機器などに目がいきますが，実は生活を支えているのは，石けん類，シャンプー，消毒液，歯磨き用品などの応用化学関係の製品なのです。そして，理工系の学習には，実体験と興味関心が最も重要で，そのために製品を学習に活用するのです。さらに，学習を進める際に，基礎を理解して進むというスタイルから，応用的な側面を前面に出し学習を進めましょうという提案です。

　小学校，中学校において，理科を学習する場合，基礎基本が大切で少ない現象なら分かりやすい，学習内容を絞れば分かりやすいと思われる場合が多いのです。さらに，義務教育においては，全部理解しないと次へ進まないという仕組みです。つまり，日本教育においては通常，10の項目があれば，8以上できるようにする。10の項目だけを取り扱うという方式です。小学校では会社が作成している市販のテストは，期待値が80点前後に作ってあり，80点以上取ればOKで事実取れることが多いと思います。これは，80点程度を取れば理解している，これだけ取れればOKという解釈です。

　しかし，年齢が上がるにつれて，だんだん点数が取れなくなっていく子供が増えます。中学生ぐらいになると，テストの内容にもよりますが平均点が50〜60点前後ということが多いのです。高等学校ですともっと厳しくなります。そこで，小学校までは理科が好きだった子供たちが，中学校ぐらいで少しずつ嫌いになる「理科離れ」という現象が起きます。それが，高等学校進学にも表れ，普通科の理工系のコースに進学する生徒も以前より減ってきています。工学系の高等学校工業科，工業高等学校，工科高等

学校などにおいても昭和45年から昭和50年ぐらいをピークに大きく減少しています。現在は，工業科在籍生徒数は，ピーク時のおおよそ，40％になっています。

　日本のモノづくりと科学技術の発展は，高等学校工業科の意義が極めて大きいと毎日授業をしていて思います。そこで，やはり，日々の授業の中に身の回りの実用化製品，工業製品，生活用品などを取り入れ，生活に結び付いていると実感・体感させる教育が重要だと考え実践してきました。

　小学校3年生から理科の授業がスタートしいろいろな身近な現象から入り，その理論を学びます。これは，理論・基礎から学んでいくというスタイルです。近年教科書の編集において，導入では身近な現象や場合によっては，製品などの写真から入る場合があります。中学校においても各単元の最初に現象として入れられている場合があります。高等学校においては，化学基礎などでは，金属，プラスチックなどの実用製品を全体の導入に使っています。その後基礎的な理論化に進みます。

　ところが，高等学校工業科の教科書として工業化学1，2，化学工学では，実用製品と関連させた学習，例として，石油を原料とする身の回りの製品：洗剤，ペットボトル，ポリ袋，CD，DVD，ゴムタイヤ，衣料品類，電気製品類など多くあります。これらのような実用製品を取り扱うことで興味関心だけでなく，科学的な思考，実験への意欲と学習の必然性などが生まれます。

　つまり，実用製品は応用で，基礎を学ばないと進めないとか基礎・理論が先で，そのあとに応用，実用製品が来るという発想から，基礎・理論と応用・実用を並行処理していくというスタイルです。そこで実用製品を入れると学習が高まっていくのです。つまり，理論の理科，理学部系列，応用の技術科，工業化，工学系列の学びには，身の回りの実用製品などを活用することが重要なのです。そして，実習・実験の実務をともなう学習が重要なのです。

B-12 学習方法・手順の決め手！ 全体をつかみ順番を組み替える

　毎日の授業を進める教員などの立場，生徒が学習していく場合，この方法は非常に有効です。この方法とは，「大枠」（その単元やまとまり）を先に全部つかむ。その後「小枠」（小項目）を順番に，場合によっては組み替えてやり，全体をまとめるという方法です。よく分かるまで次に進まない，復習して分かるまで繰り返す，という場合が多いようですが，これですと学習そのものが止まってしまうのです。そうではなく，一言で言えば，分かるところからやる，分からなくてもとらえながら進み，少しでも分かるところを結び付けるのです。そうすると全体のイメージをつかみ理解が進むのです。止まっていては進まないのです。

　毎日の授業が楽しくできる。興味のあることは深く勉強ができる。授業を受ける児童・生徒・学生の皆さんから教える立場の教員にも活用できる，魔法のシステムを紹介します。

　これから紹介するのは，私が今まで学校の教員として授業を進める際などで実践し，児童・生徒の皆さんに提案してきたこと，児童・生徒・学生の皆さんに提示し，具体的な手法として示し成果をあげてきた方法です。この方法は，どの教科にも当てはまるという訳ではありません。私の専門に関する教科「理科：物理，化学，生物，地学」「工業科：機械系，電気系，情報系」の科目では，極めて有効でした。例として，中学校の時に分からなかった「電気系の計算：オームの法則」が工業高校で分かるようになるのです。また，大きな流れでとらえると，小学校の時に分からなくても中学校で分かるようになり，中学校で分からなくても高校で分かるようになるのです。もちろん大学入試などの受験勉強とは，根本的に考え方が違いますので，同じステージには立ちません。学習は，普段の生活や仕事をしていくなどの学問であり，人間としてより有効的に生きるスキルアップだととらえています。

　教育方法の王道でもなく，小中学校の学校教育現場や教育学の側面から

とらえたりすると，活用できない考えと思われるのかもしれません。復習して分かるまで繰り返す，という場合が多いようですが，1つの学期や1年は限られた時間であり，時はどんどん過ぎていきます。学習内容を残す訳にはいきません。学習の学び方，方式を身につければ進むことができるのです。現在まで，教員経験も42年を過ぎました。小学校，中学校，高等学校，大学とすべて授業をした経験から，その成果は確信しています。今読んでおられる方には，児童・生徒の皆さん，保護者の方，教育関係者の方もおられるかもしれません。ぜひ参考にしてみてください。

トータルステップアップシステム

学習単元（学習内容のまとまり）の全体をつかんでから，個別にいく。その後，全体に戻りまとめる。単元の初めに導入で具体例を入れる。全体のオリエンテーションや，身近な素材を使って，興味・関心を持たせる。その後小単元を組み替えミックスし具体例を入れ全体に戻る。

▶**ステップ1：**全体構造を3時間程度かけて，その単元の最初から最後までを取り扱い，説明や実験などをやる。これにより，学習全体をかなり詳細につかむことができる。

▶**ステップ2：**項目順に，取り扱う。常に，全体構造のここをやっていると説明する。

▶**ステップ3：**小項目学習を全体にもどり，分かったことをまとめる。

▶**ステップ4：**この学習内容が，生活や製品化，工業科に結び付いている具体例を示す。さらに次の学習につなぐ。

B-13　工業高等学校：高校「工業科」3年生のまとめ授業から

　生徒は，普段の授業から多くのものを学び取っています。教員から考えると，生徒と学ぶ最も楽しく意義がある場であるととらえています。さらに成長エネルギーを生み出し，人生開発のノウハウを学ぶところだと思います。授業は仕事の本務ですが，どのような効果があったのか。今までこ

の本で書いてきた方法による授業の足跡を以下に示します。

　授業は，各教科内容を学ぶことはもとより，上記にも書いたように人生の糧であり，生徒の成長エネルギーと考えています。毎年，最後の授業では，生徒から私の授業に関してコメントを書いてもらうようにしています。書く量は，各時期や時間，学年などにより違いますが，おおむね量は，A4で1枚～その半分のA5程度です。学期に1，2回程度やっていますので，年間通して4回程度，考査のレポートも入れますと年間10回程度になります。その最近の生徒のラスト授業でコメントを書いてもらったので，これを少し理工学的な視点を入れながら記述分析し，その要点の一部を掲載します。

1 **メッセージカード**（高3生，授業の私へのコメントアンケートです。）

1）調査人数：29名
2）書き込み全員，その中で次のように分類してみました。
　　A：私の授業や各種情報提供，反応，内面をとらえている内容。
　　　▶10人
　　B：通常の学習内容に考えを入れた内容。▶11人
　　C：ただ，授業の感想のレベル内容。▶5人
　　D：卒業ラストレポートとしては，書き込み量含め弱さがみられる。
　　　▶3人

A：35％，B：38％，C：17％，D：10％

　A，Bで73％ですので，私の授業の目標やめざすところにかなりの生徒が到達したと確信しています。私の中では目標達成です。
　高校3年生ですので，かなり突っ込んだコメントもあり，マイナス側面はありません。私の特質を突っ込んで，コメントしているものはあります。

2 良い点，プラス効果の抽出

一部を生徒の表現をそのまま抽出してまとめますと以下のようです。

1) 丸山先生は，他の先生とは違う。（小，中，高校生のすべてがいう）

2) 授業が面白い。独自性がたくさんある。

3) 教科書のことだけでなく，実務，経験，社会情勢を交えてやる。

4) はじめは，つまらない，わからないと思っていたけど重要である
   ことが分かってきた。（1，2か月たつと必ずプラスの方向に向く）

5) 考えを尊敬したいというのが，2，3人あります。（毎回あります。）

6) 唯一性（独自性のこと），多くと違うスタイルがある。

7) インターネット活用，ICT活用の融合性が学べたことがよい。

8) 話したいことの量と熱量が大きく，脳が追い付かないのは事実▶
   ためになることも多く，話が面白いと思うことが多々あった。

9) スピードはやく，レポートも多い▶理解・考察しながらノートが
   書ける。レポートが書りるようになった。

10) 何かに熱中していけば，生き生きして人生を歩んでいける……

　まだたくさんあるのですが，やはり高3ですので，それなりの内容が多くありました。小，中，高すべてこのような調査をしてきましたが，それぞれのステージで受け取り方の違いはありますが，コメントしているデータ分析により，それぞれのステージでオリジナル授業が成立していると思いました。

　生徒が私の授業方法や考え方の基盤を習得することが最も重要で，早ければ1ヵ月程度，おおむね半年ぐらいで生徒は吸収してくれます。このように，普段の授業の中で，生徒に生き方の力をつける授業ができると思いますし，どんどんと吸収し，これからの人生のエネルギーにしていくのだと確信しました。

B-14 「デジ・アナ」のコラボレーションで ステップアップ

「デジ・アナ」と学習についてのお話です。 E-05 に書いた「デジタル・アナログのコラボレーションが必要だ」と併せて読んでいただけるとよく分かると思います。時代の流れや様々な理由で、学校教育などの場でタブレットやタブレットタイプPCがより一層導入され、普段の授業などに活用されています。さらに、スマートフォンを普段の生活の中で使用することが多くなりました。良いことばかりだと思いがちですが、実際そうでしょうか。

毎日授業をしていく中で、だんだん文字や文章を書けない子供が増えているような気がします。それは、発達段階の中で人間の最も優れた機能である、自分の手で「書く」という機能を機械にやらせてしまい、人間の発達や機能を伸ばしにくくしているのがその一因だと思うのです。ここでは、「デジ・アナ」両輪が必要ということを書きたいと思います。

普段の授業や生活の中で、パソコン、タブレット、スマートフォンなどを活用するのは当たり前で、むしろ使った方がよいですし、使わなければ、使っていかなければならない時代になってきました。ペーパーレスも叫ばれています。

学習していく中で様々な事柄を獲得する学校時代に、デジタルや機械を主にさせてしまってよいのでしょうか。小学生などは、人間の最も優れた機能の一つである、自分の手で「書く」表現する能力を育て、様々な技能を習得する時に、いわゆる情報機器を授業や生活の中でメインとして活用することで、人間機能の発達を弱めたり「デジタル」と「アナログ」の二刀流や融合化を妨げる側面があるような気がします。その理由を示しましょう。

もちろんパソコンやタブレットなどを普段活用していても、実際にノートやレポートなどにしっかり書ける子供もいますが、それは全員ではなくかなり少ないような気がしており、その理由はなぜかと考えました。それ

は，文字は自分の手で考えながら，構成しながら書いているので，想像したり次への考えにつながるのです。ところがデジタル機器を活用すると，主にローマ字を漢字変換することが多く，入力はキーボード入力やタッチパネルです。さらに変換をデジタル機器に任せてしまうため，自分で考えている訳でもないのです。もちろん読めるようにはなりますが，実際書くというのが困難になると思うのです。このようなことは，英語，ドイツ語，フランス語などのヨーロッパ系言語はアルファベットタイプで，日本語のように漢字，変換などがありません。このような言語は，デジタルとアナログの差が少ないように思うのです。

しかし，日本語は変換機能があるので，これをPC等の機械にやらせてしまっては，実際に自分で書くという機能が発達しにくいと考えるのです。これは，読書も同じようなことが言えます。よくインターネットWeb検索や電子ブックなどが主流になってきています。これは非常に優れた情報媒体なのですが，文字や図などを一つの画像のように認識し，テレビや動画を見ているような感覚になるのではないでしょうか。本当の読書（文字を自分の目や体でとらえる）というようなことが弱いような気がします。

つまり，読んでいるのではなく見ているのです。スケジュール管理も同様です。手帳などに手書きをするのかスマホやPCに任せるかです。一長一短があるので，結論は一つではなく「デジ・アナ」を両方使いこなし，コラボレーションをしていくことです。さらに創造性やオリジナル的な考えを生み出すのは自分自身の体全体で表現するものだと考えます。小学生などは，自分の体で表現し，自分の手で書くことが重要で，紙などの本の読書も必要です。人間はアナログ動物であり，非常に優れた脳とセンサー機能をもつ生物体です。これを生かし伸ばすのは，アナログであり，デジ・アナのコラボレーションなのです。

B-15 こんなアクティブラーニングのとらえもありますよ

現在，学校現場では，小学校，中学校はもとより高等学校に至るまで授

業改善が進んでいます。そのキーワードは，アクティブラーニングです。最近では，大学の講義にもこのアクティブラーニングの推進が求められ，平成30年度の学習指導要領のメインでは，「主体的・対話的で深い学び」となっています。私の実践した，アクティブラーニングの手軽で効果ある授業方法を提案します。

1 アクティブラーニング

児童・生徒が受動的となってしまう授業を行うのではなく，能動的に学ぶことができるような授業を行う学習方法です。能動的に学ぶことで，学習意欲や興味・関心を高め，知識・理解が身につくというものです。

2 アクティブラーニングの授業

アクティブラーニングは，この数年，小学校，中学校はもとより高校まで定着してきました。この数年，大学教育においても推進されてきています。では，この教育は最近のものでしょうか？　実は，もう大昔から行われています。私の経験では，小学校の授業そのものがアクティブラーニングと言えます。それは，毎日の授業の中に，動作・操作の動きや作業が入るからです。そして，必ず感想や意見などの表現活動や交流活動が入っていることです。

3 アクティブラーニングの具体性

「アクティブ・ラーニング」（英：Active learning，日：生徒が能動的・主体的に考え学習する教育法）となっており，教育行政用語と教育学術用語の差もあると思われますが，実際に学校で授業をするという立場でとらえたいと思います。一言でいうと，外部に表出するかどうかの差はありますが，表現・動きが見える授業，見えるような提案，参加型の授業と考えています。

実際に，平成30年度の学習指導要領では，アクティブ・ラーニングではなく，「主体的・対話的で深い学び」となっています。これらの専門分野や授業実践は非常に多くあるのですが，身近なところからとらえると以下のような方法も「アクティブ・ラーニング」ととらえています。

工学教育の側面からとらえるポイントを以下に記載します。

1) 具体的な事物や現象を提示する。
2) 画像やデジタル的なものを示す場合は，具体的なものと結び付ける。
3) 手書きでノートやレポートなどを書く。
4) グループ内交流や発表交流の場を設置する。学術学会の発表は，もともとアクティブ・ラーニングの形である。資料をデジタルタイプで作り，発表者が自分の言葉などで伝える。質疑・応答・評価がある。これは，まさに，「生徒が能動的・主体的に考え，学習すること」である。
5) 実生活に使っている製品，物や，インターネット Web，アプリケーションなどの生活などで使っている実際の方法などの活用をする。
6) 徹底的に調べ，情報を学習に活用する。
7) 今学習している内容が，生活や社会などのここに生かされ，活用されていることを明確に教員が示す。工学教育のメインになる。
8) 学習そのものが，学校だけでなく，社会に通用する知識・技能に直結する。提案や内容を盛り込むこと。

このような考えで具体的に授業実践をしていけば，「アクティブ・ラーニング」および，「主体的・対話的で深い学び」になるのです，この具体例は，今までこの本の **B-01** 〜 **B-13** までのところに書いていたことが，実際の事例になると思います。ぜひご覧ください。

B-16 「理工系」を増やし，生活を楽しく，進路につなげる極意

現在，学校教育などにおいて，「理科離れ」「理工系離れ」が進んでいると言われています。理科に対する，こどもの興味や関心・学力の低下，国民全体の科学技術知識の低下，若者の進路選択において，理工系を選ぶ人数の減少，研究者や技術者など理工系の人材不足などの問題です。これら

を地方の教育現場から分析し，理工系を楽しく学び進路につなげるヒントになればと思い，課題とその対策を同時に書いてみます。

1 小中学校における理工系の専門教員と授業時間を増やすこと

　小学校は，免許が全教科なのです。最近は，理科専科設置のところも増えてきてはいますがまだ少ないようです。この関連は，B-03 に記載してあります。私が勤務していた，小規模の中学校を例に考えてみたいと思います。学級数1学年1クラス，全校3クラスです。各教科（国語，社会，数学，理科，音楽，美術，保健体育，技術・家庭，外国語）です。教科を担任する教員は9名程度です。大規模中学校においては，複数教員がいますが，比率的にはおおむね同じです。高等学校の普通科でもこのような様相があります。この小中学校時に理工系の教員が少ない，同時に技術科の授業も非常に少ない（3年間で87時間程度）ということが「理工系離れ」の一因だと思うのです。

2 学習の場，理工系の設置面積や設備を増やし，授業を専門教室で実施

　中学校において，理科と技術科には，実験やモノづくりの授業のための教室があります。私の場合は，理科準備室（理科研究室）と理科実験室，技術準備室と技術室があり，1人でこの4つの部屋が活用でき，環境がよく実に様々な実験や実習ができ，通常の授業もすべて特別教室で実施しました。したがって，常に実験や実習などモノづくりなどにあふれる授業ができます。

　ところが大規模校などでは，学級数に見合う特別教室があるとは限りません。高等学校は，約70％程度は普通科かそれに類する高等学校なので，理工系列の特別教室は，物理，化学，生物で，地学教室を設置してある高校は少ないようです。具体物に触れる授業を特別教室で実施し，実験・実習の多い授業ができにくい，あまり実施しない学習形態が大きな一因です。

　ところが，工業科の高等学校は，校舎の面積も多く各種設備があります。多くの専門教科の教室や実習・実験室があり，現勤務校の中津川工業高等学校では，約50室ほどあります。当然工業科の教職員も全体の65％程度

と普通科の教職員より多い数です。これにより、苦手だったことも克服でき、進路に直結しています。つまり、教科、人的、学習環境が大きく影響しているのです。

3 理工系への進路を決める時期と科学的思考より興味関心が重要

小学校の時代は、どの子供も理科が大好きで、中学校の1年次ぐらいまで大好きです。ところが、中学校2年頃から物理・化学分野を中心に、計算や記号などが出てくると、めんどくさい、分かりにくいとどんどん離れていくのです。それは、暗記的、計算的にこだわり、全体をとらえることやその仕組み、興味関心、生活に密着させることが不足していることが原因と思います。

中学校2年、3年の進度指導が、今後の進路内容ではなく、いわゆるテストの点数に対応する高等学校にいかに進学するかが中核になることが多いようです。高等学校でも、実際2年生ぐらいでコースを決める際に、理系から文系に変わる生徒が相当います。進学校は、理系コースがあってしっかりやっているとの声もあるのですが、受験勉強が主体で、実験はあまりやらないところも多いと聞きます。そうではなく、早い時期からつまり小学校から理工系の進路に進むという流れが重要なのです。つまり、科学的思考より、実験・実習・モノづくりが重要ということです。体感することや興味・関心の持続性を作る必要があるのです。

4 身近な生活の中で理工系の要素、環境を増やし、生活・製品と関連させる

各種食品表示を取り上げてみましょう。一言でいえば、日本は、表示内容が非常に簡潔で少ないということです。日本は、製造年月日も製造所も書かなくてもよい、販売業者だけでよい、賞味期限でよい。材料表示、成分表示、添加物など含有量やその重量%などの表示が全くありません。ただ多い順に並べればよい。添加物は、スラッシュ／以下に記入程度です。ところが、日本メーカーでも海外向けは、カップ麺、白玉うどんなども詳細に書いてあります。海外の多くの国では、記載することになっています。これを日本も詳細に記載し、生活の中に理工系列を入れ込むのです。学習

したことが身近の生活に生かされ，身近な生活に入り込んでいる。学んでいることが生活に役立つ，このことにより理工系への関心が高まり，進路方向も増えていくのです。

5 理工系学生を増やし，給与なども改善し，社会に理工系を押し出す

　大学の工学部の比率は，平成9年度19.5％に対し，平成29年度14.9％です。工業高等学校（高等学校工業科）においては，昭和45年の13.4％をピークに減少の一途をたどり，令和3年度では，7.3％まで減少しています（文部科学省調べ）。日本の普通科高等学校においては，理系コースが約30％，文系コースが約70％という現状です。調査年度などにより多少の差があるのですが，日本は理工系学生が35％前後に対して，海外では50％前後という国が非常に多いのです。

　これを技術立国日本の復活のためには，理工系学生を増やすことです。高等学校からの進路指導が大きく影響します。さらに，企業も理工系をさらに採用し，各種要職，経営者レベルに理工系出身者をもっと登用することです。給与面でも理工系出身者，理工系資格者など資格・免許や専攻を重視する社会構造にする必要があります。理工系の医師や薬剤師，技術系の仕事や教員などは該当資格・免許がないと就職できません。資格・免許手当やその優遇が必要なのです。このようにすれば，必ず理工系の学生が増えるのです。

6 理工系列の学びの広がりと進路につなげる具体的な対応策

　上記1〜5の内容を中核にして，理工系列の学びを広げ深めること，理工系の進路の増加につなげる具体的な対応策をまとめてみましょう。

A：小中学校の理工系列の専門教員を増加させ，専門教室で授業実施する。
B：理工系の工学的側面と生活と結び付けた授業や実験・実習を実施する。
C：高校進学時に，理工系の就職を視野に入れた専門進路指導を具体

　B 授業 理科，理学，工学の授業や理工系に合わせた楽しい学び方

化する。

D：高等学校から大学に進学する男女問わず理工系を重視する。

E：学習から日常生活まで，具体物，数値，記号，興味・関心を重視する。

F：理工系の資格や免許，スキルを認め，前面に広報し，有効事例を示す。

F：就職面などに理工系の給与面・ポスト面での優位性と専門性を重視する。

まだまだ方策はあるのですが，上記のほとんどは私が実践し，現在も実践中で効果があったことです。デジタルを主体としたICT（情報通信技術），IoT（モノのインターネット），DX（デジタル革命）につながる重要な要素です。日本が最先端テクノロジーの国に再生するための大きな要素になると確信しています。

では，今身近にできることを再度確認してみましょう。「人，物，情報，活動」が，Keywordになります。教える立場の人は，実験・実習・モノ，生活と密着させた授業，興味・関心を持続させる授業，現象を体感させる授業にすることです。進路指導においては，理工系の面白さや将来の就職の方向を見据えた情報提供が有効です。児童，生徒，学生の皆さんは，常に生活の中で理工系を意識し，繰り返しチャレンジしたりすれば必ず進歩します。中学生の時で苦手な電気の計算が，工業高校電気回路の授業でできるようになるからです。

子供も大人も，計算や式が理工系ではありません。考え方や日常の学習や生活中，いろいろなもの，食品，生活用品など，いつでも，どこでも理工系はあるのです。ほんの少しの動きで，理工系列が面白くなるのです。このヒントがこの本の随所にあります。さあ今から理工系で生活を楽しくしてみましょう。

大学の講義は，学校教育の集大成と
　　　　研究を活用して

　足利大学工学部非常勤講師として担当してきた，「自然エネルギー特別
講義」（工学部創生工学科3年生，4年生担当）での実例を示します。大学は，
小学校，中学校，高等学校の授業のように共通した教科書はありません。
講義を担当する教員が作成，工夫する教材を使って実施します。最も，オ
リジナルで専門的に講義ができるのです。教員そのものが作り出す講義の
原点とその発展型と言える内容の事例を示します。

　この授業は，工学部の機械分野：自然エネルギーコースを中心に，機械
工学コース，電気電子分野：電気電子工学コース，システム情報分野：情
報デザインコース，AIシステムコースの学生の皆さんが受講されています。

シラバス （講師：丸山晴男，恵那エネルギー環境研究所）

A：自然エネルギー（風力，太陽電池，太陽熱等）の個別利用システム
内容：個別利用システム，実社会で個人レベルの自然エネルギー利用
技術について学ぶ。
1）恵那エネルギー環境研究所の小型風力発電，太陽光発電，太陽熱
　　利用，放射線計測，恵那ライブ気象台の自然エネルギーシステム
　　概要の解説をする。
2）自動計測Web-UPシステムの構築とWeb利用方法について説明し，
　　各種計測データ習得と解析や利用方法について講義する。
3）自然エネルギーの気象状況との相関関係などについて言及する。

B：内容：自然エネルギー活用と研究手法
内容：自然エネルギー活用と科学研究について学ぶ。
1）自然エネルギーの具体的なエネルギー活用方法とその効果につい
　　て具体的事例を示す。
2）自然エネルギー研究を核とした科学研究，工学研究の方法，研究

システム，学会発表，論文作成，利用等について教授する。

C：進路学習，キャリア教育，理工系生き方教育
内容：進路選択，キャリア教育，理工系を生かしたライフスタイル
1）工学教育および工学的側面を核としたキャリア教育と情報活用方法を学ぶ。
2）今後の具体的な職業等の方向性について取り扱う。

　上記のシラバスにより講義を行っています。さらに，担当講義対応のテキスト等やプレゼンを作成しています。「恵那エネルギー環境研究所」の研究システムと工学教育やキャリア教育については，学校教育での実践事例や経験などを入れて，オリジナルで講義をしています。その内容を以下に示します。

足利大学　工学部 自然エネルギー特別講義　テキスト内容項目〔もくじ〕
〇環境工学：自然エネルギ　の有効利用に関する研究
　～太陽光発電，小型風車，太陽熱利用システム・データ取得・使用・考察による研究
● 実践活動～
〔1〕はじめに
〔2〕研究概要（研究の概要，研究の内容）
〔3〕恵那エネルギー環境研究所の設立（経緯，研究施設：太陽光，風力，太陽熱利用）
〔4〕恵那ライブ気象台の設置（施設と計測システム：気象情報，ライブカメラ，放射線計測）
〔5〕理工学研究の推進（自然エネルギー：太陽光，風力発電等の研究手法と事例）
〔6〕学校における環境教育，理科教育，工学教育への応用（授業を中心とした実践）
〔7〕実践活動，地域における社会教育への応用（講座，講演，セミナー，

イベントの実践）

〔8〕マスコミを利用した情報発信（テレビ，新聞，ラジオ，YouTube等の実践）

〔9〕Webを利用した情報発信（恵那エネルギー環境研究所，恵那ライブ気象台Web）

〔10〕キャリア教育，職業教育，進路指導，生き方指導とライフスタイル（実践事例）

〔11〕工学教育＆ICT利用システム，情報活用，ライフスタイル，SDGs（実践事例）

〔12〕まとめと今後の方向性

　講義については，上記のテキストとテキストをもとに作成したプレゼンテーションを活用しています。対面とオンラインと両方の授業形態に対応できるように実施してきました。プレゼンテーションの内容項目を以下に示すことにしましょう。

A：自然エネルギー（風力，太陽エネ等）個別利用システム編

環境工学：自然エネルギーの有効利用システム開発，研究・実践活動の推進

- 恵那エネルギー環境研究所の設立
- 恵那ライブ気象台の設立　・理工学研究の推進

B：自然エネ，企業情報，計測＆研究推進システム編

研究の具体的内容とその方法をハード，ソフトの両面から迫る

- ハード：計測機器と計測システムの構築
- 計測PCリアルタイム表示
- データロガーシステム　・データ処理システム
- 分析，考察，体験　・学会発表，論文作成

C：工学教育，キャリア教育，情報システム編

エネルギー環境教育，キャリア教育，工学教育＆ICT活用システム

- キャリア教育と職業教育　・研究実践連携ネットワーク

- 研究活動実践 ・人生論：様々な生き方
- 理科教育，工学教育の授業 ・講座，講演活動等

このような内容で，講義をしています。これらの基盤は，すべて研究や実践をしたことなのです。今までお話ししてきた，学校教育の授業や研究・実践活動を示し，それぞれの内容を共有化，連動性を持たせながら進めることにより，実践に役立つ講義が可能になります。小学校，中学校は，義務教育であり学習指導要領を遵守しそのもとで進める必要があります。教科書も使用しなければなりません。高等学校も同様で，学習指導要領を遵守し，教科書を使用して授業を進めなければなりません。これは，以下の要因と関係していると思います。即ち，学校の課程を大きく分類すると，小学校が初等教育，中学校が前期中等教育，高等学校が後期中等教育，大学以降が高等教育となります。つまり，初等教育，中等教育までは学習指導要領があり，文部科学省検定済教科書があり，その教科書を用いて授業をする訳です。したがって，小学校でも教科担任制が入ってきていますが，中学校から教科担任制になり，中学校，高等学校との連携・共有化ということも，中等教育と考えるとよく分かります。

これらの足場に立ち，専門的に高等教育を行うのが大学であるということです。そのためにも，今までの研究や実践をもとに，書物や調査だけでなく，実験，実践をもとに講義をすることが大切であると強く思い実施しています。そして，授業評価は，レポートタイプと調査記入タイプの2種類を実施しています。以下に簡潔にその一例の要点を記載します。

TypeA 講義の内容やWebなどを参考にして，「環境工学：自然エネルギー，エネルギー環境関連の学術研究や各種実践活動および工学教育，環境教育，キャリア教育，進路指導等に関して学んだことや考察，感想など」をプラスになったことや新たな知見を中心にレポートを作成する。大テーマを設定し記述する。必要に応じて「小見出し：小テーマ」を設定してもよい。各自の住んでいる場所や，日本と自分の母国と比較して記述してもよい。

1 太陽光発電，マイクロ風力発電など恵那エネルギー環境研究所および恵那ライブ気象台の研究内容 Web について，学んだこと，参考になったことを列記しなさい。その理由も述べよ。

2 インターネットや LAN など情報ネットワーク活用で，学んだこと，参考になったことを述べよ。

3 海外の方は，留学した理由。日本の方は大学に進学した理由。

4 海外の方は，留学先として日本を選んだ理由。日本の方は，栃木県の足利大学を選んだ理由。

5 足利大学工学部機械分野などを選んだ理由（日本の方は，上記とほぼ同じになってもよい）。

6 足利大学：中條教授との共同研究等の中で参考になったことや，共同研究の有効性。

7 自然エネルギー特別講義のように，外部からの講師の講義を受けてのメリットなど。

8 ある程度，話したり，活用できる言語，ことば（トップに母国語，メイン言語の順で記入）。

9 SDGs について知っているか。どのようなことか。どのようなことに取り組みたいか。

10 キャリア教育，進路指導，職業，Profile 公開・記載などの話など，各自の進路と職業観に，参考になったり，取り入れようと思うことを列記せよ。

　学生の皆さんは，非常に興味を持って取り組んでいます。近年，留学生の皆さんも増え，各国の状況を考慮し，より実務的な講義になるように工夫しています。特に，研究システムの手法，論文などのまとめ方，キャリア教育は，非常に有益であるとの声をきいています。これが私の授業・講義システムです。

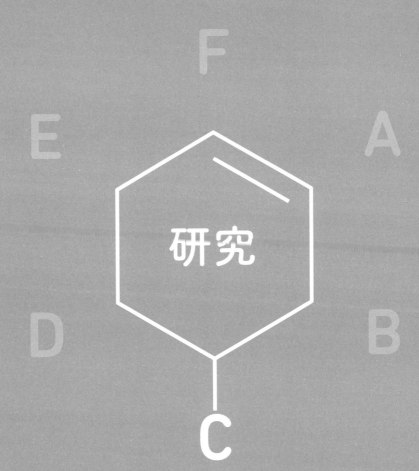

研究

研究施設設置・運営手法，科学作品から学術研究までの実践

恵那エネルギー環境研究所を中核とした研究

　Cのブロックは，研究について説明したいと思います。研究は，小学生や中学生が実施する，いわゆる「自由研究」「科学作品」と呼ばれるものから，高等学校などで実施される「課題研究」も同様です。総合的な学習の時間（小学校H28公示，中学校H29公示），総合的な探究の時間（高等学校学習指導要領H30公示）も研究といえると思います。さらに，高等専門学校，短期大学，大学，大学院などで行われる専門的な研究もあります。各研究機関，企業などの研究所や研究部門，研究室においても様々な研究が行われているのです。このような「学校」などの場で行う研究，各種研究所などで行う研究，小規模，個人的レベルでの研究など様々な研究の場や研究のスタイルがあります。

　研究というと何か本格的にやってまとめないと研究ではないと思われたり，理工系でなければ研究ではないと思いがちですが，理工系であっても文系であっても，領域の区別はなくてもすべて研究ができますし，研究が生かされています。つまり普段の生活の中でも「研究」という言葉を聞くことが多いと思います。何かを調べることや何かをするとき，何かを契約したり購入したりする際，いろいろ調べたり比べたりすることがありませんか。これらもすべて研究だと言えるのです。勉強や仕事の場でも，もっと成績を上げるには，どうしたらよいのだろうと学習方法や学習のコンテンツなどを調べたり実践したりする。仕事においても，いかに効率的に質を上げるのか，働き方改革対応情報を集めて実践する。困ったことなど各種調べる。これらもすべて研究なのです。

　ここでは，私設研究所「恵那エネルギー環境研究所」の設立から，研究施設，研究システムの内容や研究発表，研究論文などを説明します。そして，各種研究の内容や研究を学習や生活に生かしたり，研究を基盤として

A 自然エネルギー・気象：研究部門
【太陽光・風力発電, 太陽熱利用, 気象観測】
【実験・計測・調査等, 6計測・6データロガーシステム】

B エネルギー環境
調査部門

C エコライフスタイル
実践部門

D 工学教育研究推進部門
（工学教育, 理科教育, 情報教育, 環境教育）

スキルアップする方法やその実例などを紹介します。さらに仕事（教員）
と研究の両立相乗効果などについてもまとめたいと思います。

Subtitle Keyword

C-01　私設研究所（恵那エネルギー環境研究所）を構築する

C-02　「恵那エネルギー環境研究所」の研究施設のまとめ

C-03　恵那エネルギー環境研究所の研究データを紹介します

C-04　恵那エネルギー環境研究所のあゆみ（ミニ技術史）から

C-05　恵那エネルギー環境研究所はこんなことをやっています

C-06　恵那エネルギー環境研究所でやっている各部門のポイント

C-07　研究の種類, 生活に生かす（自由研究から学術研究まで）

C-08　子ども（児童・生徒）への「自由研究」の方法はこれだ

C-09　科学研究費（科研費）などを取得して研究をする

C-10　工学教育にSDGs, STEAM, Society 5.0, Education 3.0を導入

C-11　研究・実践のサイクルと学術論文などをまとめて

C-12　まとめ・教員と研究者の両立環境構築と推進の極意

　どうして私設研究所をつくろうとしたのか。これについては，最初
の **A総論** のところにも書いてきましたが，「研究するにはどうしたらよ
いか？」「どのような研究ができるのか」「研究できる環境をどのようにつ
くりだすか？」について，まとめてみたいと思います。

　学生時代のような研究設備や環境もありません。指導していただける先
生もおられないため，一人でできる研究は本当に研究として成り立つのか，
学生時代のように「学術論文」を書くような研究が果たして可能だろうか，
いろいろ考えてみました。最終的に，私設研究所を作ることだとの結論を
得ました。恵那エネルギー環境研究所設立の経緯やその思い，具体的な要
件などの流れを書いてみたいと思います。

　研究（けんきゅう，英：research リサーチ）とは，物事などについて，実験，
観察，調査，考察などを通して調べ，その物事についての事実を深く追究
する様々な過程からまとめをして，一定の結論を得ることです。研究につ
いてのとらえは，最初の **C研究** で示しました。研究の領域は広く，いわ
ゆる文系的な研究，理工学的な研究など様々です。ここでは，理工学的な
研究施設をつくり，どのように研究を進めてきたかのポイントを示すこと
にしましょう。

　大学および大学院時代は，応用化学科，天然物有機化学，機器分析など
を活用し，植物成分分析（アロエ，牡丹皮，芍薬）の研究をしていました。
イメージとしては，テレビドラマなどの研究所や化学分析研究室スタイル
です。それらの研究を一般社会，家庭レベルでやることは大変困難です。
簡単な化学実験機器などは，大学を去るときに少しそろえて地元に帰りま
した。その後，住まいを転々としたため，紛失したり，壊れたりしたので
す。ほんの少しの試験官，ビーカー，フラスコなどのガラス器具，ガラス
機器の分液ロート，薬さじ，るつぼばさみ，ピンセットなどの化学実験道
具，pH試験紙，BTB溶液，ろ紙，少しのサンプルなど，最低限実験がで

きるものをそろえて帰省しました。

　ここでもう一度研究に取り組む経緯を振り返ってみます。A-02，A-03，A-04にも書いたように，研究職をめざしましたが，様々な困難や不確実性もあり，かないませんでした。同時に教員も考え，学部の時は不合格で，大学院に進学しました。大学院在学中に，教員採用試験：教員候補者名簿に記載されたため，やむを得ず大学院工学研究科を中退することになったのです。当時は，教員採用に関して，大学院猶予制度はありませんでした。いざ学校教員になると毎日の多忙さなどから研究から離れてしまったのが現実です。

　毎日の学校勤務をしながらも，大学を去るとき，「研究は続けよ！　学会発表をせよ，論文を書け！……」などの強い近大の先生方の声が耳から離れませんでした。大学を去るとき研究継続の約束をしたからです。

　ところが，いざ実験をやり，分析までする研究をしようと思ってもできなかったのです。それには，GC-MS（ガスクロマトグラフ質量分析装置），NMR（核磁気共鳴装置）などの多大な装置と費用がかかること，その場に分析機器などがないため手間や時間がかかることなど，大学のようにその場に研究設備がないことが改めて分かったのです。理工系列ですとどうしても具体的な研究に関係する設備がないと実験や実習ができないのです。理学的な理論研究ならば，ある程度，調査・理論・基礎研究ができるのかもしれませんが，工学的な研究分野ですとできないことがはっきりと分かりました。

　そこで，いろいろ考え調べたりして，ある一定の結論を得ました。それは，実現可能な研究所を作るということです。具体的には，学生時代に学び，その後独学で取り組んだ，環境工学的側面やエネルギー的側面，ICT情報システム系の側面ならば，何とか小規模な個人レベルの研究所を作り出すことが可能だと考えたのです。さらに，研究施設は自宅を私設研究所にすれば，経済的負担も少なく，時間的にも都合がよいと考えたのです。要点は以下に示します。

1）自宅を私設研究所にする。土地代や運営費など不要。いつでも研究できる。

2）化学系から物理系へ移行する。化学系の分析的な研究などは，施設や分析経費などがかかり，私設では不可能。電気・電子などの計測研究スタイルならば，コンピュータ利用を中核に置けば可能である。

3）環境工学的側面，エネルギー的側面，ICT情報システム系の側面ならば私設研究所レベルでも可能である。

4）自然エネルギー（≒再生可能エネルギー）に以前から興味があり，学んだことがあるので，「太陽光発電システム」を設置すれば研究となる。

5）今後施設を拡張するために科学研究費（科学研究費助成事業など）を獲得して，研究費を捻出すれば何とか可能ではないか。

　さらに，研究施設の名称も考えなければなりません。最初は，「マルヤママルチシステム」とか「エネルギーシステム研究所」とか各種考えました。一般的な名前は，多く存在しますし，もうすでに，企業系や研究系などに類似した名前が多く見られました。そこで最終的に，エネルギーと環境に関する研究をすること，環境は地域（恵那）と密接な関係があること，故郷の「恵那」が全国レベルで発展していけばよいこと，エネルギー研究としては，自然エネルギーの研究施設（スタート当時は，太陽光発電）が施設としてはメインでした。以上のことなどを踏まえ「恵那エネルギー環境研究所」と名付けました。

　環境は天気・気象関係と密接な関係があります。それでその後，私設研究所のメイン施設を増設し，気象観測に加え気象状態をライブカメラ（ネットワークカメラ）で組み合わせて画像をネット配信するシステムを考えました。この気象台の名前を，今までの経緯との関連で，ライブカメラが当時は珍しく小規模ではあまりなかったことも踏まえ，「恵那ライブ気象台」

と名づけ，気象計測や気象情報を公開するシステムを作り出したのです。

　当然インターネットで公開するので，ドメイン名を取る必要があります。開設した当時は，プロバイダーに借りる形をとっていましたが，世界に通用するドメイン名を取ることが必須でした。そこで，独自ドメイン「ena-eco.jp」を取得し，現在に至っています。C-01-1 に研究所の全景を示します。

C-01-1 　恵那エネルギー環境研究所全景

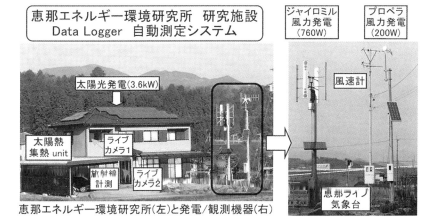

【研究施設名】恵那エネルギー環境研究所

【所在地】

〒509-7204 岐阜県恵那市長島町永田414-3

《東経37.401E，北緯35.445N，海抜283m》

【研究・実践内容】

A 自然エネルギー・気象研究：太陽光発電，風力発電，気象データ，ライブカメラ

B エネルギー環境・調査：核融合，省エネ，脱炭素，応用化学系，食品，SDGs

C エコライフスタイル実践：エコライフ，エコドライブ，ICT，情報，総合ネットライフ

D 授業・講座・イベント・教育：工学教育，理科・環境・情報教育，
セミナー，ブース

C-02 「恵那エネルギー環境研究所」の研究施設のまとめ

　今まで，恵那エネルギー環境研究所の設立から施設の設置などについて
書いてきました。ここでは，その研究施設をまとめたいと思います。太陽
光発電，風力発電などの仕様について，次のページに表にまとめました。
さらに，自然エネルギーの計測にはそれぞれロガー機能を持たせ，インタ
ーネット Web 上にデータを公開できるようにしました。その要点を示し
ます。

　自然エネルギーの太陽光発電，風力発電，太陽熱エネルギー，気象情報，
ライブカメラ，放射線計測などの施設と運用システムを設置しました。個々
のデータについては，それぞれ対応する PC を表示装置にしました。この
システムでは，個々のデータを各対応 PC で見ることはできるのですが，
インターネット Web 上にデータ公開することができれば，恵那エネルギ
ー環境研究所の研究室だけでなく，インターネット接続環境があれば日本
はもとより世界中どこからでも閲覧することが可能です。
　これと同時に，インターネット Web でデータ公開するための Web Page
を作成しました。これらの設置と運用システムは，各専門家の協力と支援
でつくることができたのです。この恵那ライブ気象台の計測システムや
WebPage などの作成，メンテナンスに至るまで，専門家「東海ライブ気象
台」にお願いし作っていただきました。この場を借りて，研究施設設置に
協力していただいた，「東海ライブ気象台」「二吉建設㈱」「グリーンヒル
エンジニアリング」の皆様に深く感謝申し上げます。すべて，インターネ
ットを通じて知り合い，ご協力していただいた皆様です。この研究施設が
できたことは，インターネットがなければ絶対にできなかったのです。こ

C-02-1 恵那エネルギー環境研究所　研究システム概要

A. 自然エネルギー・気象：研究部門：6 計測システム
計測システム名：ロガー機能名
❶ 太陽光発電システム：PV パワーロガー
❷ プロペラ型風力・太陽光ハイブリッドシステム：エコ・レーダー
❸ ジャイロミル型風力・太陽光ハイブリッドシステム：そよ風ロガー
❹ 太陽熱利用給湯システム：ソーラーサーマルロガー
❺ 恵那ライブ気象台：気象自動計測システム：データ自動更新
❻ 放射線計測システム：GM 管：$\alpha, \beta, \gamma,$ X 線：粒子検知〔CPM〕

研究施設 (主な稼動システム)

1) 太陽光発電システム (3.6kW)
　since 2001
- 太陽電池　SANYO (HIT：結晶・非結晶, 180W × 20)
- PV Power Logger (太陽光発電ロガー)
- 計測 PC　Panasonic CF-T1
- 省エネナビ：太陽光仕様

2) プロペラ型風力・太陽光発電システム
　(200W)
- プロペラ型風車　ニッコー NWG-200
- 太陽電池　SHARP NT-85A1W 85W (単結晶)
- Eco Radar (プロペラ型風力発電ロガー)
- 計測 PC　NEC-98NX-VC26

3) ジャイロミル型風力・太陽光発電システム
　(760W)
- ジャイロミル型風車　シンフォニアテクノロジー V-Ⅰ：WK-16-20
- 太陽電池　SHARP NE-L0A1H 120 W (多結晶)
- そよ風ロガー (自動計測システム)
- 計測 PC　Panasonic CF-L2

4) 太陽熱利用給湯システム
- 太陽熱利用給湯システム：エネワイター
　長府：SW8-200

- 強制追焚石油給湯器：水道直圧
　長府：KIBF-4732DSA
- インターホンリモコン KR-41P (データ表示・連動機能)
- Solar Thermal Logger System (自動計測システム)
- 計測 PC　Panasonic CF-L2

5) 恵那ライブ気象台 (気象自動計測システム)
- Vantage Pro2 DAVIS (米国)
- Web システム
　Virtual Weather Station V12.08
- Web-UP PC　Panasonic CF-T1
- ライブカメラ 1
　Panasonic BB-HCM381
- ライブカメラ 2
　Panasonic BB-HCM371

6) 放射線計測システム CPM (Count)
　▶ μSv/h (変換)
- GM-10USB Black Cat Sysmtes (米国)
- 計測, Web-UP PC　Panasonic CF-T1
- 室内, 出窓：高さ 1.0m, 外向き

のようなことからインターネットは魔法のシステムだと確信したのです。そして，インターネットを活用した人的ネットワークが最重要だと認識しました。まさに，ここで，人生の化学反応・化学変化が起きているのです。

C-03 恵那エネルギー環境研究所の研究データを紹介します

恵那エネルギー環境研究所には，6つの研究システムがあることを，C-01，C-02 で紹介しました。自然エネルギーに関するデータ，放射線計測データ，恵那ライブ気象台のデータ，ライブカメラ映像です。実はこの研究システムのデータは，自動的にデータ処理され10分前後の間隔でWeb-UPされ，インターネットがあればだれでもWeb上で見ることができるのです。その公開データ画面を紹介します。教育や生活などの場面で活用いただき，少しでも社会貢献できればうれしく思います。

恵那エネルギー環境研究所では，C-02 のAにまとめてある6つの計測システムのデータがWeb-UPされています。❶太陽光発電システム：PVパワーロガーでは，発電量などの電気エネルギーの表示はもちろんですが，実は発電量の数値により天気の様子が分かるのです。どれだけ太陽が照っているかなどが実によくとらえることができます。❷プロペラ型風力発電：エコ・レーダーと❸ジャイロミル型風力発電：そよ風ロガーでは，発電量はもとより，風速や風向などが分かります。❹太陽熱利用給湯システム：ソーラーサーマルロガーでは，水温の上昇はもとより，流量や利用時間などもとらえることができます。❻放射線計測システム：GM管では，自然放射線を連続して計測し，気象状況のともなう変化などもとらえることができます。

さらに，❺恵那ライブ気象台は，単独で気象観測データをWeb-UPしており，次に示す気象情報を収集しています。

- 気温（内外）・湿度（内外）・雨量（時／日）・風向・風速（平均／瞬間）・

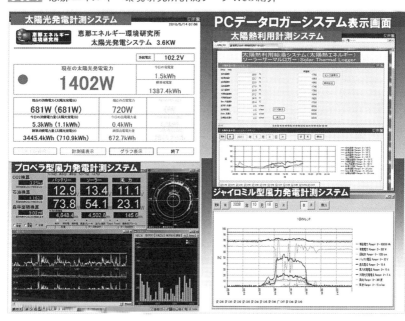

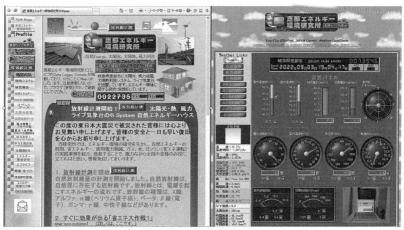

C 研究

C-03 恵那エネルギー環境研究所の研究データを紹介します

気圧
- 紫外線・太陽放射量・4ヵ月グラフ（気温，湿度，降水量，紫外線，太陽放射）
- ライブカメラ2システム

　Fまとめ に恵那ライブ気象台の画面の一部を掲載しています。データ分析などで多くの有益な情報が得られます。

　これらの公開アドレスは，巻末 **F-03** や **F-05** 著者紹介にあります。各情報は「検索」して活用していただければうれしく思います。

C-04 恵那エネルギー環境研究所の
あゆみ（ミニ技術史）から

　ここでは，私設研究所「恵那エネルギー環境研究所」のあゆみを示すことにします。個人レベルのごく小規模の私設研究所にすぎませんが，自然エネルギー研究施設（6システム）と様々な小規模の実験機器や計測機器なども擁しています。さらに，この研究内容は学会発表や査読論文などの学術学会誌に掲載し，研究所と名乗ってきました。

　ミニ技術史という側面から，SINCE 2000〜「恵那エネルギー環境研究所」沿革を示して，今後の方向性を探りたいと思います。積み上げの経緯を振り返ることで，人生が拡大している流れが分かります。

　この恵那エネルギー環境研究所の私設研究所を作るという構想は，平成5，6年頃にありました。当時，小学校の6年生の担任をしていた時，卒業の際に，今後生きていくための具体的な方向の言葉「漢字2字程度」と「進路に関係する実現可能な夢を取り入れた，卒業論文」を書くことを提案し，学級全体で作ることになりました。その時，担任をしているクラスの子供たちが，先生も「言葉」や「今後の実現可能な夢」を書いてほしいということで「研究」としました。その後2000年に6年生を担任したとき，私たちでイラストなどにまとめてページを作成するから……，と言われたの

で，このようにするということを言ってイラストになりました。(P87イラスト：丸山先生データー)

2000年頃の実現可能な夢（卒業文集）▶ 2001年より：実現・継続

- 環境科学研究所テクニカルセンター▶ 恵那エネルギー環境研究所：実現
- 情報科学コンサルタントオフィス▶ 恵那エネルギー環境研究所：実現
- テクニカルライター▶ 学会発表，学術雑誌：査読論文，原稿執筆：実現
- 情報環境科学評論家▶ 環境カウンセラー，講座，セミナー，ブース：実現

このように，当時の子供とともに作った卒業文集に記載があります。

研究所は，自宅の家を建てて1年ぐらいで設立を決めました。 **C-01**，**C-02** に書いたように，研究環境の施設をあらかじめ準備して家を建てた訳ではないので，各種施設を建てるときは様々な工夫がいりました。

今まで書いてきたように，研究室を設置することをあらかじめ決めていましたので，自分の部屋を研究室としました。自宅に研究室を作るのは夢でした。研究施設を作るつもりで土地は整地していなかったので，現状でやれる場所をそれぞれ順次決めていった訳です。設置した施設の順番は以下のようです。ここで，ミニ技術史として振り返ってみましょう。**C-02** に記載しました。

1) 太陽光発電（3.6Kw）：今となっては，小さい量ですが，2000年当時ですと，小さな屋根に乗る太陽電池モジュール（太陽光パネル，ソーラーパネル）180W×20枚が最大でした。
2) 風力発電❶ プロペラ型（超小型で，5枚羽）：一番の配慮事項は，音ができるだけしないことです。近隣の家があるため，騒音には最も配慮が必要です。一般に，5枚羽は3枚羽に比較して静かです。

3) 風力発電❷ ジャイロミル型（垂直軸，4枚ブレード）：風切り音は，非常に小さく方向性がないので安定しています。

4) 恵那ライブ気象台：設置した当時は，極小規模レベルで，気象台はほとんどありませんでした。その気象状況を見るために，ライブカメラ（ネットワークカメラ）を設置し，「恵那ライブ気象台」としました。

（今は，ライブカメラはどこにでもあり，個人での設置も見られます。設置した2006年当時は，個人レベルではかなり珍しい方でした。）

C-04-1 恵那エネルギー環境研究所の沿革

Year		主な経緯
2000	H12	恵那エネルギー環境研究所設置
2001	H13	太陽光発電システム計測データ化開始
2002	H14	太陽光発電計測データ集計，Web ページ作成
2003	H15	風力発電システム❶（プロペラ型）設置，計測開始
2004	H16	風力発電システム❷（ジャイロミル型）設置，計測開始
2005	H17	恵那ライブ気象台，ネットワーク設計
2006	H18	恵那ライブ気象台設置，ライブカメラシステム設置
2007	H19	ネットワークシステム構築，ファイルサーバ設置
2008	H20	LAN, ISDN／ADSL／光ファイバー再構築，ドメイン名取得運用
2009	H21	データロガー集計処理ソフトの開発，太陽光発電自動計測
2010	H22	太陽光発電ロガーシステム，グリーン電力メーター設置，計測
2011	H23	太陽熱利用給湯システム，放射線量計測システム設置
2012	H24	ソーラークッカー実験，ネットワークシステム再構築強化
2013	H25	太陽熱計測システム構築，自然エネルギー計測ネットワーク構築
2014	H26	自然エネルギー，理工学研究・教育システム開発
2015	H27	恵那エネ環境研：研究室内システム整備
2016	H28	教育士（工学・技術），研究論文，学会発表，サイエンスショー
2017	H29	研究・計測システム Ver-Up，化学・物理，工学／理科教育／論文・学会
2018	H30	恵那サイテクラボ開設，工学教育推進，研究室再構築
2019	R1	工学教育研究推進強化，ネットワーク移動整備
2020	R2	恵那エネ環境研と工学教育連携システムの構築開始
2021	R3	研究発表，技術史教育学会誌・講演論文
2022	R4	SDGs 実践講座，新 Web サイト追加，学会発表，論文
2023	R5	本の出版，研究システム工学教育利用開発，SDGs 推進

C 研究 研究施設設置・運営手法，科学作品から学術研究までの実践

5）太陽熱利用給湯システム（太陽熱温水器）：不凍液を循環させる集熱
　ユニットシステムです。
6）放射線計測（核融合科学研究所との共同研究，東日本大震災を受けて設置，
　計測開始）

平成12年度　卒業生　〔2001年3月卒業〕
瑞浪市立陶小学校　6年1組　卒業アルバム文集より

学年目標：輝きパワー
6年1組：学級目標（文集）
　　「ダイヤモンド」　夢・仲間／レベルアップ，チャレンジ・パワー

【学習・活動の4本柱】
• コツコツ環境学習　• ワクワクパソコン学習　• ニコニコ表現活動
• ドンドン自発活動

• 似顔絵など児童作成　　• 生徒が集めた教員の言葉

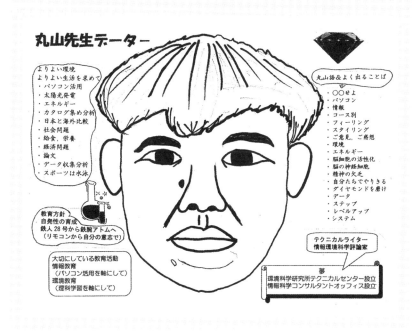

以上のシステムを設置しました。

C-04-1 に，恵那エネルギー環境研究所の沿革を示しました。ご覧ください。

C-05 恵那エネルギー環境研究所は こんなことをやっています

恵那エネルギー環境研究所では，どのような研究活動をしてきたのでしょうか。この研究活動に，理工系の学習や理工的視点の生活につながるヒントが隠されているかもしれません。

恵那エネルギー環境研究所設立の動機と目的

学生時代の工学系応用化学の研究推進と理科と工業科の免許を持つ教員として，研究と教育に生かせる私設研究所の設立を強く願いました。各種調査し，学生時代の学びと独学で取り組んだ環境工学的側面やエネルギー的側面，ICT情報システム系の側面ならば研究が可能であると考え，先述の図 C-01-1 に示す自宅兼研究所として，恵那エネルギー環境研究所（岐阜県恵那市）を設立しました。設立と運営の沿革は，前述 C-03 に記載しました。主な研究内容は，次のページの C-05-1 にまとめました。

本研究所は，A：自然エネルギー・気象［研究部門］，B：エネルギー環境［調査部門］，C：エコライフスタイル［実践部門］，D：講座・授業・イベント［教育部門］の4部門からなり，研究・実践・授業に活用し，その成果などを，Web公開，学会発表，論文などにまとめ学術的な側面や一般に公開し，少しでも貢献できればと考えました。

研究所を拡大させ，A：自然エネルギー・気象［研究部門］だけでなく，エネルギー環境を中核として，その関連として，B：エネルギーや関係の調査研究，実際のC：エコライフスタイルの実践の場として，エコドライブ，インターネット活用，キャッシュレス，ネットショップ利用を実践しました。D：教育分野に研究施設などを活用し，授業，講座など幅広く活用しています。

A. 自然エネルギー・気象：研究部門
【太陽光・風力発電, 太陽熱利用, 気象観測】
【実験・計測・調査等, 6計測：データロガーシステム】

❶太陽光発電 (SANYO – HIT：3.6kW)
- 太陽光発電の各種データ自動計測

❷プロペラ風力・太陽光発電 (NIKKO 200W＋単結晶85W)
- プロペラ型風力発電＆太陽光発電のデータ自動計測

❸ジャイロミル風力・太陽光発電 (シンフォニアテクノロジー 750W＋多結晶120W)
- ジャイロミル型風力発電＆太陽光発電のデータ自動計測

❹太陽熱エネルギー給湯器 (CHOFU：SW8-200＋石油給湯器)
- 太陽熱の利用：水温上昇計測 (気象状況との関連, 流量計測)

Data Logger System 自動計測システム
❶PV パワーロガー：Photovoltaic (PV)　Power Logger (太陽光発電ロガー)

❷エコ・レーダー：Eco Radar：(プロペラ型風力発電ロガー)

❸そよ風ロガー：Soyokaze Logger：(ジャイロミル型風力発電ロガー)

❹ソーラーサーマルロガー：Solar Thermal Logger (太陽熱ロガー)

❺恵那ライブ気象台
- 気象データ計測　　　10分
- ライブカメラ1, 2　　Web-UP

各種計器パネル：温度, 湿度,
気圧, 雨量, 風速, 風向,
UV：紫外線指数, 太陽放射等

❻放射線量計測：GM-10 (ガイガー＝ミュラー) 計数管, ガイガー・カウンター
- 室内放射線量計測：5分UP, 1日分 (288点) グラフ化；CPM →μSv/hr

- 発電量測定・比較　　● 水温上昇, 流量計測　● 気象データとの相関
- 経済的評価　　● 時間, 季節, 年間　● 環境貢献度

B：エネルギー環境：調査部門
❶エネルギー：発電・核融合・省エネ
❷環境問題：脱炭素社会, 地球, 社会
❸地球温暖化防止
❹医薬品　❺食品
❻応用化学　❼SDGs

C：エコライフスタイル：実践部門
❶エコライフ　❷エコドライブ
❸キャッシュレス　❹ネットショップ
❺ICT 情報活用, IoT, DX
❻SDGs　❼生活情報環境構築
❽総合ネットライフ

D：講座・授業・イベント：教育部門
教育▶❶工学教育　❷工業教育　❸理科・科学教育　❹環境教育　❺情報教育
活動▶❻講座　❼講演　❽セミナー　❾ブース出展　❿サイエンスショー

C-06 恵那エネルギー環境研究所でやっている 各部門のポイント

　恵那エネルギー環境研究所では，ここまで示したように，A：自然エネルギー・気象：研究部門，B：エネルギー環境：調査部門，C：エコライフスタイル：実践部門，D：講座・授業・イベント：教育部門があります。それぞれが独立しているのではなく，連動・連携・共有化しています。このA，B，C，Dの各研究・活動のエキスをここで紹介したいと思います。それぞれの詳細については，この本の各箇所に記載しています。ここでは，このA～Dまでの研究活動をどのようにつなぐのか，どのように共有化しながら推進してきたのかを紹介します。

　学習や物事は一つのことをしっかり進める，一つのことをやってから次に進めるというのが以前（昭和の時代）の主流でした。ところが平成，令和と時代が変化してきたこと，西暦では2000年頃から大きく変化したかと思います。これらの関連性を説明しながら，恵那エネルギー環境研究所を設立してからどのように各研究・活動を実施してきたかの流れとそのポイントを提示したいと思います。

1 自然エネルギー・気象：研究部門の設立〔A〕

　私設で運営し研究できる自然エネルギー研究施設がどうしても必要でつくりたかったということです。この様々な自然エネルギーなどの稼働研究施設を有することで，実践的な研究ができますし，その各種データを取得する自動計測システムなども有します。これらの研究施設をただ設置するだけではなく，さらに広げられないかと考えました。

2 エネルギー環境：調査部門の設立〔B〕

　Aの各自然エネルギー施設を設置するには2000年頃相当苦労をしました。なぜか，それは全く情報がないからです。最初に設置したのは，太陽光発電ですが，こちらで太陽光発電に関する専門的な情報，メーカーから設置業者に至るまで，相当詳しく調べました。さらに設置に関わる補助金の関

係や電力販売の契約文書を全部そろえました。中部電力の方に2回も来ていただき施設説明をして契約したのです。当時は、インターネットが普及しておらず、Web情報も少なくメールなどのシステムも整備されていなかったのです。多くのそして深い調査、関連事項の知見、人的な環境等も含め多くの情報が必要です。この関連でエネルギー環境に関する日本や世界のエネルギー事情から各種関連事項について調査する、Bのエネルギー環境調査部門が生まれたのです。

3 エコライフスタイル：実践部門の設立〔C〕

恵那エネルギー環境研究所を設立し少したったころに、出前講座や市民講座などをたのまれる機会が生まれました。一つの講座を実施するためには、資料が必要です。その資料を図書やインターネットなどの情報を集めてやることだけでは十分ではありません。恵那エネルギー環境研究所および私の実践講座を聞いていただく、情報を提供していく講座ですので、実践が必要なのです。そこでこのような内容の講座をしてほしいとたのまれた際や、このような講座をやろうとする際には、必ず実践した内容を示してきました。これが、エコライフスタイルの実践部門が生まれ運営している経緯です。主にこの本の C研究 ， D生活 ， E情報 のところに詳細に書いていますのでご覧ください。

4 講座・授業・イベント：研究部門の設立と工学教育の推進〔D〕

工学教育を広く理科、技術、工業科、工学教育ととらえています。つまり、小学校の理科、中学校の理科・技術科、高等学校の理科・工業科、大学の自然エネルギー特別講義（足利大学担当講義）をその実践と研究推進としてこの部門を立ち上げました。恵那エネルギー環境研究所設立当時は、小学校に勤務し、その後、中学校、高等学校と勤務し、理科、技術科、工業科と現在まで続け大学での講座も組み入れながら研究・実践をしています。この研究成果などを学術研究学会発表、査読論文、実践交流などの形で発表しています。

その研究の足跡は、この本の随所に出ていますし、 Fまとめ の一覧表に

も掲載しています。このように，恵那エネルギー環境研究所の「A：自然エネルギー研究施設」を【B：調査】【C：実践】【D：教育】の分野に活用，拡大し，相互のメリットを出せるように工夫し，現在に至っています。

　A総論　ベンゼン環の6個のC（炭素）が　A総論　～　Fまとめ　に当てはまり，有機的に結び付き，この本の「人生は化学反応・化学変化」が起きて「人生の探究という機能」を起こしているのです。

C-07　研究の種類，生活に生かす
（自由研究から学術研究まで）

「研究」はよく聞く言葉です。研究とはどんなことでしょうか？ 研究とは，ある物事にスポットを当て，様々な情報を集めたり，調査や分析をすること。さらに集めた情報を考察し，実験，観察，調査などを通して調べて，その物事についての事実あるいは真理や原理を追究し，まとめ，結論を得ること。このように事物に関して追究する一連の流れだととらえています。ここで，研究についてもう一度考えてみましょう。

　研究には，どのような種類があるのでしょうか。小学生の自由研究から大学や研究所の研究まですべて研究といえます。分野も様々です。理工系，文系，自然科学系，社会科学系など多くのとらえや形があります。ここでは，いろいろな理工系の分野を中心に研究の例を示しながら，私の実践・研究の一部を紹介したいと思います。

　研究にはいろいろの形があります。例えば，小学生，中学生を中心とする，いわゆる「自由研究」「科学作品」，高校生を中心とする課題研究，大学生を中心とする「卒業研究」「研究室研究」，大学院はすべてが研究……です。大学関係や企業，そして公的機関などの研究所で研究することだけが研究ではあません。もちろん高度・専門性という視点では，大学や研究所の研究がこれに当たるかもしれません。しかし，研究という視点では，どの種類の研究でも一致した部分があります。それは，テーマなどを決め，このテーマについて様々な方法で調べたり実験したりして，結果を得て考

察し，課題に対しての結論を得たりまとめたりすることです。

　ここでは，研究を身近な学習などにつなぎ，より楽しい生活や仕事などに生かすことができるヒントが提示できればと考えています。では，生活の中で研究をとらえるとはどんなことでしょう。私のいつもやっていることを紹介します。研究的な考え方や活動を様々な場面に生かすことができます。

1 物を選んだり買う場合はしっかり調べること

　現在では，インターネットWebを活用すれば，相当多くの事柄を深く調べることができます。もちろん各種検索サイトで調べたり，Keywordで調べたりその方法は様々です。そして，物を買う場合ならば，新品を買うのか，中古を買うのかも含め買うものを決めるのです。ネットショップで買うのか店舗で買うのかも含め調査したことを表にまとめます。このように何かを買う場合にも表にして比較するとよく分かります。

2 インターネットで物を買う場合と研究は同じこと

　Amazon，ヨドバシ，Yahooショップ，楽天，メルカリ，PayPayフリマ，楽天ラクマなどを徹底的に調べ比較します。研究に置き換えると，物事をしっかり調べること，比較すること，結論を出すことです。今まで書いてきたように，ある物事を実験，観察，調査などを通して，追究していくことです。

3 金融システムについて

　お金の取り扱いにはどうしても銀行が必要になります。私の場合は，ほぼすべてネット系の銀行を使っています。よく活用しているのは，以下です。❶住信SBIネット銀行　❷SBI新生銀行　❸楽天銀行　❹SONY銀行❺auじぶん銀行などネット系の銀行を複数活用し，マネーフォワードで管理しています。

　このような事例はたくさんありますが，研究手法が生活に生かせるのです。

一方，本格的な研究には，学術研究の種類として，基礎研究，応用研究，開発研究などがあります（文部科学省「科学技術白書」より）。研究の種類としては，❶実践研究，❷調査研究，❸事例研究，❹教材開発研究などがあります。「恵那エネルギー環境研究所」を生かすことで，以下の研究が可能です。

A 学術研究施設：各種計測，自然エネルギーデータ：工学的データ解析研究

B 教育活用施設：発電：電気，機械系授業研究，気象データ：理科：地学系

C 実践活動施設：講座実践：エコライフスタイル，エコドライブ，商品選択

D 情報発信施設：データロガーシステム，Web公開，ICT活用研究

このように様々な研究に活用することができるのです。

C-08 子供（児童・生徒）への 「自由研究」の方法はこれだ

　夏休み中などには，全国で「自由研究」「科学作品」という「研究」が行われます。夏休みに限らず年間を通して行う場合もあります。私の地元においては昭和から平成10年頃までは，ほぼ全員，小中学校において研究か作品づくりをしていました。さらに，多く（60〜80％程度）の児童や生徒が「自由研究」「科学作品」として，理科の研究に取り組んでいました。ところが近年では，「研究・作品」は，必須ではありませんし，「作品」に取り組む，児童・生徒はある程度いますが，「研究」においては，圧倒的に参加数が減ってきているのです。

　これらの要因は様々ありますが，ここでは，要因を探究するのではなく，「研究」は，非常に有益で楽しいこと，学力，総合能力が高まること，社会対応力，情報処理活用能力が高まることなどの良さを示したいと思いま

す。この素晴らしい「自由研究」「科学作品」への取り組み手法を列記したいと思います。先生方は，直接指導の参考にしていただければ幸いですし，保護者，ご家族，子供に接する方の方向性の一つになれば大変喜ばしいです。

1 研究テーマ，研究内容の決め方

　様々な研究をするためには，研究テーマや研究内容を決める必要があります。よく，先に研究テーマ，研究の表題を決めてしまうのが通常です。しかし研究をしていく中で，発展や変化があるのです。したがって，おおむね研究テーマを決めておき，研究の途中や実際に研究の終わりの方でファイルや冊子にまとめて記載する際に総合的に判断して内容が映える言葉にすればよいのです。

　以下に，具体的な事例を示します。

1 − 研究テーマの決め方

- 水の浄化▶汚れた水は，浄化できるのか？
- 太陽のエネルギーを有効に使うにはどんなものあるのか？

　このようにおおむね，課題追究型，疑問型などの研究テーマにせまる内容をテーマに組み込んでおき，内容を追究するための準備をしながら研究を進めていくのです。最初から研究テーマをがっちり決めてしまうとなかなかそのテーマ追究に達成しないと途中でやめたり，極端に変更したりすることになります。研究途中や最後の方でテーマを決定していくのが重要なのです。

2 − 研究内容はどのようにして決めるのか

　自分のやりたいことが見つかった場合は，その内容を詳しく調べる。調べ方は，自由研究の図書やインターネット Web を利用するとよいです。授業の中や日頃身近で疑問に思うことや調べたいことを見つけられれば非

常に良いです。しかし，30年以上，自由研究・科学作品にかかわってきたことや私が子供のころからやってきた経験を50年以上前から振り返っても，なかなか授業や身近な現象から研究まで組み立て積み上げていくのは大変なことです。

　それより，少し思いついたことをKeywordにして，図書やインターネットWebで関係を調べ，研究していくのが非常に現実的で面白いと思うのです。インターネット情報を活用して指導してきたのは，ここ10年ほどですが，以前は，図書を中心にテーマや内容を決めてきたことが多かったように思います。今後は，図書・文献とインターネット情報のコラボレーション活用が重要だと思います。

　子供が，研究テーマ（仮）や研究内容の概要を紙に書いて，見せます。その時に，研究になりそうで研究ファイルとして記述まとめができそうであれば，そのまま解説，資料提供，指導をします。

　本やWeb情報を書き写すだけの研究や，すでに誰かが行った研究をそのまま真似る研究も多いです。そのようなときには，理由を話して，子供と相談の上，研究テーマや研究内容そのものを大きく変えてしまうのです。子供の考えや思いつきは非常に重要ですが，このころは，科学・工学などの理工系に興味を持たせ，研究手法の基礎を学ばせ，研究ファイルにまとめるという成功体験を踏ませることが重要です。

　このことにより，将来の理工系列に進む子供や，たとえ進まなくても，理工系列のものの見方や考え方をつけることができます。情報検索・活用能力，まとめる能力など幅広く身につけることができるのです。どのような進路に進んでも理工系の総合能力を身につけ人生を歩むことができると思っています。

3 ― 研究ファイルの書く量

　研究をまとめるファイルは，A4の大きさがベターです。低学年はB4でもOKです。さらに，紙がはさめて，組み替えできる，「リング式，クリアファイル」がよいと思います。ページ数は，1冊で，40ページから80ページをめざす。これは，おおむね市販のファイルが40ページから80ペ

ージが多く，これをめざすという意味です。昔は，クリアファイル３冊ぐらいで，200ページぐらいの量になっていました。これで，岐阜県の場合は，岐阜県優秀賞レベルでした。

しかしながら，最初に書いたように，現在では，多くの学校で，昔ほどの自由研究をやっているところは少なくなっているような実態があるのではないでしょうか。そこで，量より質という感じで進めてもよいと思います。学術論文では，６ページから８ページぐらいが主流となっています。書き方やスタイルをつかむために，実際の研究資料を見ると有効です。30年以上昔は，スケッチブックやノートなどが多かったようです。

4 － 書き方，まとめ方

実際に書く場合，１小課題に対して，４ページ，６ページというように必ず偶数ページとして書く。構成が見開きになり見やすいからです。

❶課題（小課題，小テーマ）
❷課題の解説（なぜこれをやるのかなど）
❸実験観察準備：だいたいこれで１P
❹実験図，実験方法などで，１P程度
❺結果，写真，イラスト表など１P
❻考察（結果からどういうことが分かったか），まとめで１P

偶数ページ，４ページブロック構成で，詳しく書くと６ページになります。このブロックをやった毎に書いていき，最終的順番を考えまとめる訳です。

2 研究の記録・書き方・ファイルの作成方法のポイント

各テーマ，内容，など順番に書く必要ありません。動機などは，中間，最後に詳しく書く，２Pぐらい。目次は，最後に作る。上記２：４）書き方，まとめ方にある内容を「カード型データベース」の考え方で，A4で１枚ずつに，書けることや，やれたところからまとめておき，随時組み替え編集，最後に総合編集をかけ，目次，ページなどを打ってまとめるのです。

　理科研究「自由研究」「科学作品」のテーマから方法，書き方まで，具体的な情報がたくさんあるので，実際の研究資料，図書・文献，インターネットのWebページを活用してください。現在では多くの研究に関する情報をつかむことができるので，見てみるのが一番の早道です。必ず，巻末に参考文献，引用文献を記載することは必須事項です。学術研究論文と同じスタイル形式をとればよいので，学術論文の閲覧も有効です。

C-09　科学研究費（科研費）などを取得して研究をする

　科学研究費などの研究費を獲得して研究し，その成果を学会発表，学術論文を学会誌に投稿して，少しでも世の中に還元しています。科学研究費関係については各種ありますが，ここでは，日本学術振興会の科学研究費助成事業（科研費）を中心に，科学研究費に関する説明をしたいと思います。少し前に採択した研究費関係ですが，個人的レベルでも研究をしようとする方には参考になると思い書くことにしました。

　研究を続けるためには，各関係学会，研究機関などに所属するとより研究が進めやすくなります。さらに大きなポイントは，研究費（科学研究費補助金）などの競争的研究資金を獲得することです。多くの研究費のシステムがあるのですが，個人研究レベルでこれらの研究費を獲得するのは非常に困難です。ところがこれを少しでも取得すれば研究費の大きな補助になりますし，それ以上に次のような研究推進のパワーが生まれます。

　科研費（科学研究費補助金）（日本学術振興会）の奨励研究の場合は，個人研究の奨励研究として応募することができます。採択結果が分かるのが3月頃でこれが研究スタートです。研究終了が次年度の2月頃です。したがって実質10ヵ月の間に，研究を推進してまとめ報告書を提出しなければなりません。そうしますと期限があり実施しなければいけないので，意欲とそれなりのスピード感が必要で実施のパワーが高まるという訳です。研究

の終了間際に，研究内容報告書のまとめや獲得した補助金関係の書類など
を整えて終了です。

　そして，その成果をまとめて学会発表し，学会誌などに学術投稿論文と
して論文化し，学術雑誌に掲載されれば先の査読論文発表となるわけです。
大学関係や専門研究機関などはさらに専門的で高いステージの各種方法に
てなされていますが，個人レベルであればこれで十分だと思います。巻末
の F-01 に私の関係論文の一覧を掲載します。

　私の場合は，ほんの少しですが，科研費は，5回ほど採択されています。
その他の民間のものは，2回ほど採択されています。研究は，研究内容に
よっては多額のお金が無いとできないわけではありません。ただし研究用
として，ある程度のお金は必要となってきます。実際に私設研究所である，
恵那エネルギー環境研究所の自然エネルギー系の研究施設や恵那ライブ気
象台の気象観測システムなどは，科研費にお世話になっています。なかな
か採択されるのは困難ですが，不可能ではありません。

　一方，研究費がないと研究ができないかといえばそうではありません。
工学系の施設や各機器などを活用するような研究では多くの機器などのい
わゆるハード代がかかります。ところが，調査・理論研究などのスタイル
であれば，それほど経費がかからない場合もあります。したがって，それ
ぞれおかれた環境やそれぞれの研究分野を総合的にとらえて研究システム
に応じた研究をしていくことが重要だと思います。 C-07 に述べましたが，
子供たちの，科学作品，自由研究なども重要な研究なのです。

　これを学会発表や研究冊子などにまとめて広く発表できるところまでい
ければ，さらに良いと思います。しかし，工学的研究ですと施設や実験な
どの機器のメンテナンスや刷新が必要ですし，査読論文掲載には，最低数
万円の費用は必要です。したがって，私設タイプの研究では，出費をでき
るだけ抑え，研究成果やそれを表出する効果を高める工夫が必要だと思い
ます。

　今まで取得した科学研究費（奨励研究）に関するリストを示します。

❶家庭における自然エネルギーの有効利用とスマートハウス構築に関

する研究

- 奨励研究：研究分野：工学Ⅴ（その他工学）（2010）

❷家庭における自然エネルギーの有効利用と環境測定に関する研究；研究分野

- 奨励研究：工学Ⅴ（その他工学）（2005）

❸自然エネルギーの利用と気象環境測定によるエネルギー環境教育・開発に関する研究

- 奨励研究：研究分野：工学Ⅱ（電気・電子・情報系）（2004）

❹自然エネルギーの利用及び環境調査観測によるエネルギー環境教育・開発に関する研究

- 奨励研究：研究分野：工業（2003）

❺身近な生活と結びつけた環境教育を通した，情報活用能力の育成に関する研究

- 奨励研究（B）：研究分野：教育工学（2001）

❻地域を生かした環境教育のあり方に関する研究

- 奨励研究（B）：研究分野：化学（1999）

※出典：KAKEN：科学研究費助成事業データベース：https://kaken.nii.ac.jp/

C-10 工学教育にSDGs, STEAM, Society5.0, Education3.0を導入

　工学教育をここでは，理科，技術科，工業科の教育および環境教育，情報教育などの教育分野において表題にある4つの要素を組み込んだ研究実践に取り組んでいます。その一端を紹介します。

　SDGs持続可能な開発目標（Sustainable Development Goals），STEAM教育（Science［科学］，Technology［技術］，Engineering［工学・ものづくり］，Art［芸術・リベラルアーツ］，Mathematics［数学］），Society 5.0（サイバー空間［仮想空間］，フィジカル空間［現実空間］を高度に融合させたシステムにより，経済発展と社会的課題の

解決を両立する，人間中心の社会［Society］），Education 3.0（テクノロジーを学習に統合する様々な方法，新しい技術を積極的に受け入れて，いかに効率的に学ぶのに役に立つか教育手法）の4要素の理論や手法の一端を組み入れています。具体的な内容を記すことにします。

- **SDGs**：環境講座で実践［目標番号・要点：2.飢餓ゼロ，7.エネルギー，12.つくる責任 つかう責任，13.気候変動，14.海の豊かさ］を出前講座などに組み込む。
- **STEAM教育**：工学教育として，理科，技術科，工業科の科目の科学，技術，工学の共有化・融合化をはかる。公式，計算は数学，設計，図，グラフは，芸術・リベラルアーツなどの要素を組み入れる。
- **Society 5.0**：授業や生活の中で時間と空間の有効利用，デジタル的側面であるDX（デジタルトランスフォーメーション）の要素を組み入れる。デジタルとアナログのコラボレーションをする。
- **Education 3.0**：大学，研究所，企業などのコンテンツや情報を活用する。

研究論文，資料，パンフレット，動画などの情報を授業に活用する。市民講座などに，社会に存在する情報，コンテンツを活用する。

次に，SDGsを中核とした，工学教育，環境教育のプログラムを示します。

SDGs環境教育，STEAM教育：ソーラークッカー（太陽熱調理器）活用

その実践事例を次ページの表 C-10-1 ， C-10-2 に示します。

C-10-1 SDGs教育と機械系学習「ソーラークッカー」との関連

NO	SDGsの内容項目 （学習関連）	SDGs教育と 機械系学習「ソーラークッカー」との関連
7	エネルギーをみんなに そしてクリーンに	太陽エネルギーは，再生可能エネルギーで，環境にやさしい。
9	産業と技術革新の基盤をつくろう	モノづくりの基礎・基盤となる。より機能の高いソーラークッカーの開発。
12	つくる責任つかう責任	材料選択から組立，利用の仕方まで，学習としてとらえて実践する。
13	気候変動に具体的な対策を	太陽エネルギーは，自然に優しく，化石燃料の削減にもつながる。

C-10-2 STEAM教育と機械系学習「ソーラークッカー」との関連

	STEAM	日本語	STEAM教育と機械系学習「ソーラークッカー」との関連
S	Science	科学	太陽エネルギー（太陽光から太陽熱へのエネルギー変換，光の周波数），太陽高度位置
T	Technology	技術	金属加工技術，プラスチック材料，ダンボール材料加工，アルミ箔
E	Engineering	工学	ソーラークッカーの素材（機械工作・材料工学）と作成方法（機械設計・材料力学）
A	Arts	芸術	デザイン（形状），太陽光を集めやすい形，より見栄えのする形状
M	Mathematics	数学	設計図，長さ，展開図，計算，図形からとらえる

■ ゼロカーボン(zero-carbon)につながる取り組みへつなぐ

　ゼロカーボン（温室効果ガスの排出量から吸収量を差し引いて全体としてゼロにする）の取り組みが重要となってきました。今後，環境教育やSDGs教育などにこのゼロカーボンの考えと実践を組み入れていきたいと思います。その関連実践は，次ページの環境教育講座に少し示してあります。

　今後，工学教育の視点からゼロカーボンに結び付く研究や実践を進め，恵那エネルギー環境研究所のWebなどで紹介していきたいと考えています。

　次のページに，SDGsの環境教育講座のプログラムを示します。

水生生物調査（カワゲラウォッチング）をSDGsを通して学ぼう！

学ぼうSDGs，土岐市・日本・世界へ広がる環境学習・ESD！

〔ESD：education for sustainable development；持続可能な開発のための教育〕

STEPシステム〔2.飢餓ゼロ，7.エネルギー，12.つくる・つかう，13.気候変動，14.海〕

▶ **STEP1**：カワゲラウォッチングとは……

- 水生昆虫（29種類） ● 指標生物 ● 濃南地区の様子
- カワゲラウォッチングの方法，注意，準備，調べ方の手順
- 水質の階級，指標生物の種類と特徴（4段階：Ⅰ，Ⅱ，Ⅲ，Ⅳ：きれいな水，ややきれい，きたない，とてもきたない）

▶ **STEP2**：パックテスト（原理，種類，測定などのいろいろ）

- 生物化学的酸素要求量（BOD） ● 溶存酸素量（DO）
- 化学的酸素要求量（COD） ● 生活環境項目の12項目
- 生活環境の保全に関する環境基準

SDGsウェディングケーキモデル

SDGsウェディングケーキモデルの3階層〔生物圏，社会圏，経済圏〕

▶ **STEP4**：物・食品 ▶ フードロス（食品ロス）0〔2.飢餓（きが）をゼロ〕

- フードロス，食品ロスとは何か？
- 日本のフードロスの現状，世界の食糧問題

▶ **STEP5**：エネルギー問題〔7.エネルギーをみんなに，そしてクリーンに〕 地球温暖化問題〔13.気候変動に具体的な対策を〕

- エネルギーのいろいろとその現状（日本・世界）
- 自然エネルギー（太陽光，太陽熱，風力の利用）：ソーラークッカー

▶ **STEP6**：海や川……水の大切さと課題 〔14.海の豊かさを守ろう〕

- 海や川，大切な水

- 海や川のプラスチックごみ（マイクロプラスチックなど）

▶ **STEP7：本当にプラスチックは悪いのか〔12.つくる責任，つかう責任〕**

- プラスチックの特性，プラスチックの良さ
- 原因と実態，使われ方，身近な生活

▶ **STEP8：バイオプラスチック＆カーボンニュートラル**

- 環境にやさしいプラスチック　・環境にやさしい生活用品

▶ **STEP9：エネルギー環境の不思議な実験と紹介**（ミニサイエンスショー）

- コップの水はこぼれるのか（不思議な粉と水の不思議）
- 不思議な水の色変わり（水の色の変化で分かること），水溶液を調べよう

▶ **STEP10：**SDGs から考える今後

- 土岐市，日本，世界へどの様に地域の良さ，環境の良さを発信していくのか

▶ **STEP11：環境学習と各学習の連携と学習の進め方**

- 環境学習／SDGs を各教科の学習につないで深めよう

▶ **STEP12：理科**（科学），技術，工学，情報など将来に生きる環境学習

- 環境学習／SDGs を未来へつなぐ（学習と生活，そして将来の夢に……）
- 身近な生活と関連させた環境学習，いろいろな学習へつなぐ（どこでも学習……）

工学教育 環境教育講座 実践記録 2022-07-16

出典：土岐市公式SNS：facebook, Instagram

7月16日（土）「水生生物調査に関する環境学習教室」を開催し，市内在住小学生親子9組18名が参加しました。講師の丸山晴男先生より水生生物についての概要を学び，事前に汲んだ川の水の水質をパックテストを使い科学的に調査しました。また「SDGs」のお話を通じ，水環境の大切さや，「つくる責任つかう責任」について学びました。お話の後にはお楽しみのミニミニサイエンスショー！ 不思議な粉や液体を使い水の色が変わる様を，小学生たちは興味深く観察していました。実験を通じ，どんな時でも「何故かな？」と原理を疑問に思うことの大切さを学びました。

C-11 研究・実践のサイクルと学術論文などをまとめて

　ここでは，様々な研究について，研究・実践活動のサイクルと研究論文の関係について図にまとめて，その関連を示したいと思います。

1 研究・実践のサイクル

　研究のサイクルは，研究・調査 ▶ 実践 ▶ 評価・提案 ▶ 行動の4サイクルで，柱として3本あります。一つ目は，恵那エネルギー環境研究所を中核とする，自然エネルギーシステム，データロガーや気象台などに関する研究。二つ目は，エネルギー環境教育を中核とする授業や生活実践に関する研究。三つめは工学教育を中核とする理科，技術，工業科，工学に関する授業実践や小学校から高等学校まで連続した教育推進に関する研究です。ここでは，各研究の内容ポイントを以下の図にまとめてその実践サイクルを示してみます。

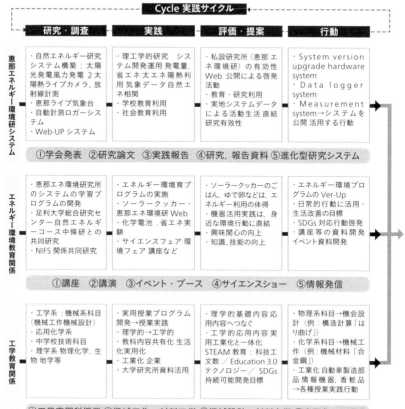

	研究・調査	実践	評価・提案	行動
恵那エネルギー環境研究所システム	・自然エネルギー研究システム構築：太陽光発電風力発電 2 太陽熱ライブカメラ, 放射線計測 ・恵那ライブ気象台 ・自動計測ロガーシステム ・Web-UP システム	・理工学的研究 システム開発運用 発電量, 省エネ 太エネ熱利用 気象データ自然エネ相関 ・学校教育利用 ・社会教育利用	・私設研究所（恵那エネ環境研）の有効性 Web 公開による啓発活動 ・教育・研究利用 ・実地システムデータによる活動生活 直結研究有効性	・System version upgrade hardware system ・Data logger system ・Measurement system→システムを公開 活用する行動
	①学会発表 ②研究論文 ③実践報告 ④研究, 報告資料 ⑤進化型研究システム			
エネルギー環境教育関係	・恵那エネ環境研究所のシステムの学習プログラムの開発 ・足利大学総合研究センター自然エネルギーコース中條研との共同研究 ・NIFS 関係共同研究	・エネルギー環境育プログラムの実施 ・ソーラークッカー恵那エネ環境研 Web ・化学電池 , 省エネ実験 ・サイエンスフェア 環境フェア 講座など	・ソーラークッカーのごはん, ゆで卵などは, エネルギー利用の体得 ・機器活用実践は, 身近な環境行動に直結 ・興味関心の向上 ・知識, 技能の向上	・エネルギー環境プログラムの Ver-Up ・日常的行動に活用 生活改善の目標 ・SDGs 対応行動啓発 ・講座等の資料開発 イベント資料開発
	①講座 ②講演 ③イベント・ブース ④サイエンスショー ⑤情報発信			
工学教育関係	・工学系：機械系科目（機械工作機械設計） ・応用化学系 ・中学校技術科目 ・理学系 物理化学, 生物地学等	・実用授業プログラム開発→授業実践 ・理学的→工学的 ・教科内容共有化 生活実用化 ・工業化 企業 ・大学研究所資料活用	・理学的基礎内容応用内容へつなぐ ・工学的応用内容 実用工業化と一体化 STEAM 教育：科技工文数／Education 3.0 テクノロジー／SDGs 持続可能開発目標	・物理系科目→機会設計（例：構造計算「はり曲げ」） ・化学系科目→機械工作（例：機械材料「合金鋼」） ・工業化 自動車製造部品 情報機器, 香粧品→各種授業実践行動
	①工業専門科授業 ②機械工作←材料工学 ③機械設計←材料力学 ④実用化・工業化			

2 エネルギー環境教育，工学教育に関する論文など

　研究・実践活動のサイクルの3つの柱に対応する論文などのリストをタイトルと年度別にまとめてみました。論文リストは F-01 にまとめています。

　1）恵那エネルギー環境研究所システム関係として，自然エネルギー研究システム，気象データ連携収集型太陽光・風力発電，インターネットを活用した施設などについて研究しました。

　2）エネルギー環境教育として，恵那ライブ気象台の教育利用，学校に

おける省エネ・スリム化や自然エネルギー利用について，環境教育の側面から研究しました。

3）工学教育として，理科から工学教育につながる研究や理科，技術科，工業科の科目について研究しました。小学校，中学校，高等学校，大学までの連続性に関する研究や技術史教育を授業に入れる実践もしました。

以下の図に示します。

C-11-2 エネルギー環境教育，工学教育に関する論文

査読論文掲載雑誌名
- エネルギー環境教育学会 ▶ エネルギー環境教育研究
- 日本技術史教育学会 ▶ 技術史教育学会誌
- 日本工学教育協会 ▶ 工学教育

恵那エネルギー環境研究所システム関係	エネルギー環境教育関係	工学教育関係
1）自然エネルギーの研究／恵那市の太陽光発電と風力・太陽光ハイブリッドシステム：ソーラーシステム（2005） 2）自然エネルギー利用でよりよい環境をつくりだすためにソーラーシステム（2005） 4）家庭用気象データ連携収集型太陽光・風力発電システムの開発：日本太陽エネルギー学会（2009） 7）インターネットを利用した自然エネルギー利用の推進と環境教育への応用：岐阜聖徳学園大学（2011） 8）インターネットを利用した自然エネルギー利用の推進と環境教育への応用2：岐阜聖徳学園大学（2012）	3）恵那ライブ気象台でわくわく学習：日本教育工学振興会（2008） 5）学校における省エネ・スリム化と環境教育・温暖化防止活動の研究：岐阜大学教育学部教師教育研究（2010） 6）家庭での自然エネルギー利用の実践と学校や地域への環境教育への応用展開：日本エネルギー環境：教育学会（2010） 9）自然エネルギー利用とその包括的・継続的情報発信によるエネルギー環境教育への応用：日本エネルギー環境教育学会（2012） 10）エネルギーを体系的に捉えるための化学エネルギーから自然エネルギー導入教育：日本エネルギー環境教育学会（2016）	11）理科教育から工学教育につなぐ，化学史導入カリキュラム実践の効果 日本技術史教育学会（2016） 12）エネルギー物質分野における工学教育の入り口としての中学技術の重要性と理科との連携：日本工学教育協会（2017） 13）中学教育3年間の理科と技術科に一貫して工学的視点を取り入れることの効果：日本工学教育協会（2019） 14）各種機器分析の化学史と化学分析手法を工学教育に活用する一考察 日本技術史教育学会（2019） 15）「単位とその歴史」を導入とした工学教育に関する一考察 日本技術史教育学会（2020）
太陽光発電，風力発電，気象データライブカメラ，インターネットWeb活用 →エネルギー環境研究システム	恵那ライブ気象台，温暖化防止自然エネルギー，化学エネルギー →エネルギー環境教育的要素	理科教育，エネルギー環境教育エネルギー・物質分野，化学史，化学分析，単位 →工学的要素

SDGs活動推進に研究を活用して

C-12 まとめ・教員と研究者の両立環境構築と推進の極意

　私は，現場の小学校・中学校教員を一教諭として定年まで勤めました。この本を書いている現在，工業高等学校に常勤講師として勤務しています。現在，学校教員の人気が下がり，採用試験などの倍率も低く，いわゆる「ブラック的な仕事」とまで言われています。働き方改革も言われてきています。このような状況下でも，同時に研究・活動業務を続けてきました。

　今になって，本当に「教員」は良い仕事で，やりがいのある仕事，それだけではなく，研究との共有化も可能な素晴らしい職種であることを認識し，改めて振り返ることができました。

　それでここでは，教員と研究を今日まで続けてこられた考え方や具体的な方式などを示し，その極意や環境について説明します。さらに，研究を続ける様々なヒントを提示したいと思います。他の業種でも，今後の働き方につなげることができる可能性を秘めていると考えています。

　この方式は，学校教育の教育現場だけでなく，他の業種においても研究を続けたり，研究にこだわらず，いわゆる「ダブルワーク」などにも応用でき，生活をより向上させることにもつながる極意です。他の分野の仕事と生活のコラボレーションも可能です。実践には，以下のような要件があります。

　(a) やる気，パワーのようなメンタルの維持とモチベーション
　(b) 周りの人的支援，指導，理解：人的環境
　(c) 時間活用・時間管理システム
　(d) 物事の共有化，統合化，連動化，総合化システム
　(e) ICT活用能力，ICT，IoT，DXなどの情報系に関する能力や環境
　(f) 研究環境システム，研究ネットワーク：物的環境
　(g) 研究開発力，研究者としての資質，能力
　(h) 研究を表出するための場，学会発表能力

(i) 研究などに関わる資料作成能力，コミュニケーション能力

(j) 論文作成能力，研究に関する事務的遂行能力

　まだまだあると思いますが。このような能力や環境が必要だと思うのです。特に，(a) と (b) は，教員と研究者の両立はもとよりダブルワーク的側面でどうしても必要となる能力や環境だと思うのです。

　これらの能力や環境が私にあるかといいますと，特に持ち合せていません。(a) のやる気・パワー，アクティブはあると言われています。あとは，「研究スタイル」が好きであるということでしょうか。現在やっていることが面白いかということです。さらに，自分の仕事などの環境を自分なりに適合させていくことも大切です。これらはやりながら身につけてきたものですし，各種の方法を工夫することで，能力は開発されますので，研究を続けることが可能です。

　研究といっても多くのスタイルやレベルがあります。様々な研究についての認識，方法，場があります。小さいものから，大きいものまで，簡便なものから高度なものまで各種あります。このことは，C-06 に記載しました。そこで，上記の (a) ～ (j) の要件を踏まえ，これから教員をやりながら研究者を続ける極意を示します。この方法は，他の業種でも応用でき実践は可能です。

1 教員が研究をする根拠はここにある

　教員の本務は，教育活動です。この教育活動をメインに置きながら，研究を続けるのは非常に重要です。

　教員は，教育基本法や教育公務員特例法の以下の条文で，研究をすることが認められています。研究をしなければならないのです。以下にその条文を示します。

● 教育基本法
第9条 法律に定める学校の教員は，自己の崇高な使命を深く自覚し，絶えず研究と修養に励み，その職責の遂行に努めなければならない。

- **教育公務員特例法**

　〔研修〕

第21条　教育公務員は，その職責を遂行するために，絶えず研究と修養に努めなければならない。

　さらに，私が主にやってきたような学術研究的なものは，研究内容を教育活動に活用できますし，児童・生徒に還元できるのです。いや還元しなければならないのです。これによって，より研究を推進する必要があり，推進しなければならないという決意を一層高めることになりました。研究が好きでしたが，その価値づけが高まったという訳です。

2　研究環境を整える

　教育現場，特に学校教育現場で研究を続けるには，教育環境とコラボレーションさせ，研究環境を新たに作り出し整えることが必要です。

　理科，技術科の教員は，中学校においては，理科室，技術科室の2つがあります。その部屋には，それぞれ，準備室が設置されています。どんなに狭くても準備室があるかと思います。もしない場合は，理科室，技術科室に，準備室的なコーナーを設置すればよいのです。間仕切りはしなくても，そのコーナーを作るのです。私も昔の木造校舎の学校においては，準備室がなかったり，準備室の形がとれないこともありました。その時は，小さいスペースですが，準備室コーナー，研究コーナーを作ったものです。

　さて，現場の教育環境において，その研究環境を作り出す手立てをお教えしましょう。それは，準備室を研究室スタイルに整備することです。これは，学校現場や職場現場においては，校長先生など所属長の許可を得ることが必要です。準備室を研究室スタイルに整備することは，部屋が機能的になり，通常の教育業務が非常にやりやすくなり，その成果を児童・生徒に還元することができるのです。

　私の場合は，赴任した中学校の理科室と技術科室が「物置」というか，ものが乱雑に置いてあり，とても使えるという状態ではなかったのです。

理科準備室においては，廊下側から入ることができず，ものがいっぱいでした。技術科室もほぼ同様の状態でした。それは，今まで教員が，授業を主にやる実験室や作業室から入り，必要な道具を取りにいくというスタイルだったからと推測されます。それを，理科実験室や技術作業室から入ることは当然ですが，通常の廊下側からも入れるようにしたのです。これは，高等専門学校や大学などの教員（教授，准教授，講師，助教の先生方）と同様なスタイルだと思います。私が，お世話になった先生方の見学させていただいた研究室と，ほぼ同様なスタイルをとることが可能です。

　実際に，教育士（工学・技術）：日本工学教育協会認定資格の面接および研究環境視察の時，職場に日本工学教育協会審査員の大学の先生方に来ていただきました。また，核融合科学研究所の先生や関係の人に来ていただいた際に研究環境を見ていただきました。この際，しっかり研究ができる環境だと言われました。

　生徒は，理科と技術科の授業は通常すべて，理科室および技術室に来ます。ここで，授業をするため，すぐに実験や実物提示やモノづくりができるのです。あらかじめこの実験やこの実物を見せると準備しておかなくても，その場で見せたり，体感させることができるのです。授業する場合，学習内容や生徒の要求などから，その場で各種の具体的な提示ができるので，生徒の実態やその変化に応じて臨場感ある授業ができ，非常に有効な学習の場となるのです。

　これらの環境は研究とコラボレーションしているので，生徒からレポートはどのように書いたらよいかと聞かれたり，今の学習を深める資料や論文はどのようなものかという場合，隣の理科準備室（理科研究室）より必要な現物やデジタルコンテンツをその場で提示できるのです。このようなことは教育環境を整備すれば可能です。幸いPCやタブレットなどを活用すれば，インターネットWebやcloudの情報を活用することも可能なのです。あらかじめ環境だけ整えておけば，その場に応じて適合する情報を提示し授業に活用できるのです。

　具体的な理科室，理科準備室（理科研究室）の実例を以下に示します。

　恵那北中学校の理科室，理科準備室（理科研究室）の実例です。

C-12-1 理科準備室（理科研究室）室内環境の実例

理科準備室（理科研究室）教員デスク

理科準備室, 資料, 図書, 備品棚

3 時間管理・時間活用システム, 研究推進システム

　人間に平等に与えられたもの，平等にあると言われるものの中に「時間」があると思います。この時間は，1日24時間なのですが，その使い方により多くの差が出ます。時間密度を高めることや隙間時間の活用，時間コントロールなどで「時間としての流れ」は同じなのですが，どれだけ実行できるか，やることの内容や量は大きく違ってくるのです。

「忙しい人に仕事を頼め」というように，忙しい人は，仕事がよく舞い込んできて，うまく時間をこなしてやっています。短時間に，質の高い仕事が効率的にできるということだと思います。

　時間管理や時間活用の図書は，多く存在します。その方面の各種内容や実用的，専門的なことはそれぞれの図書や文献にお任せするということで，ここでは，ごく簡単に教員と研究を続けていくために，私のやってきた時間活用システムについて簡単に触れることとします。このシステムは，ビズアーク時間管理術研究所の水口和彦氏の著書や関連の情報を得て実践しています。

1 - 日程の管理

タイプA：アナログ手帳の活用

タイプB：デジタルPC　Web管理の活用

タイプA，タイプBの両者の並行利用です。

タイプAについては，この本の B-14 のところにも書きましたが，手書きの手帳は極めて重要です。人間は，アナログ動物の仕組みを持つ生物です。また手帳活用システムの原点は，時間管理術研究所：水口和彦氏の『たったこれだけのことで！　仕事力が3倍アップする時間活用法』などの著書の他数冊を参考に実施しています。これに対応するオリジナルバイブル手帳リフィルも作成していただき，数年間活用し，現在も同じ流れの時間管理活用システムの手帳を活用し，いわゆる「時間地図」を利用しています。

タイプBとして，スマートフォンとPCを活用しています。入力はどちらからもでき，どの端末からも見られ，同期が図られています。アプリなども複数〔例：Google，Microsoft，Yahooなど，多くのアプリケーション〕活用していますが，すべて同期共有化を図っていますので手間なく有効に活用できます。この方式を利用すれば，細かいタメクがなくても実行できます。

このタイプA，タイプBのコラボレーション，共有化活用が重要なのです。

2 ― いつでも，どこでも，インターネット活用環境

どのようなデータやアイディアなどもアナログ記録・デジタル記録，データ活用，保存が必要です。アナログデータはその場で写真を撮る。PDF化するなどをします。その基盤はインターネット活用環境の整備が必須です。

2-1 インターネット回線の強化

インターネット接続のためには，室内有線LANの他，室内無線LAN，野外WiFi（スマホを含め2回線あるとよい）などを有効に活用することです。大昔は，スタンドアロン，その後有線LAN，最近は，固定タイプは光有線LAN，移動タイプは無線LANを主に活用し，それらをミックス併用することです。恵那エネルギー環境研究所では，どこでもLAN，室内4チャ

C-12　まとめ・教員と研究者の両立環境構築と推進の極意

ンネルを設定し活用しています。インターネット接続環境があれば場所を問わずいろいろできます。

2-2 Web活用端末の強化

できるだけ，ネットワーク端末を整備し，持ち運ばなくてもどこでもできる環境を作り出すことです。もちろん移動するときには，移動端末が必要で持ち運びます。PC，タブレット，スマホにはWiFi環境が必須です。

A：固定ネットワーク

恵那エネルギー環境研究所では，現在，研究計測Web-UP用として，常時5台のPCが動いています。デスク周りには，5台のPCが準備してあります。つまり，PCが10台程度常時活用できるようにセットしてあり，動いています。これらについては，研究システムの説明 C-01 ，C-02 ，E情報 で述べていますが，すべて同期・クラウド化していますのでどこでもデータ共有活用ができるのです。

B：移動可能ネットワーク

Let's Note，Surface，iPad mini，スマートフォンなどを有していますが，インターネット接続，Web閲覧が可能であれば，古いものでもOKで，数が必要なのです。タブレットタイプやスマートフォンなどは，通常の通話をしなければ，WiFiで接続可能で，自由にインターネット環境で活用可能です。つまり，いつでもどこでもWeb活用，データ作成，活用ができる環境が重要なのです。

3 — 人的環境づくり

研究を続けるためには，指導的な立場の方や協力いただける方など，人的環境を構築することが重要です。私の場合は，近畿大学大学院を中退して去る際に，関係の先生方から「研究は続けよ！」との強いメッセージがありました。その後も近畿大学の先生や研究室にいた人，友人などから大学と大阪の雰囲気だけは受け取っていました。一方東海圏においては，名古屋学院大学の先生と連絡をとっていました。その後，土岐市プラズマ研究委員会（核融合科学研究所との共同研究）メンバーである核融合科学研究所の先生方に直接指導を受けることができました。現在では，共同研究をし

ています。 A-03 , A-04 , E-10 に人的環境づくりについて書いています。

　自然エネルギーの研究で，足利大学にお世話になり，中條祐一教授と共同研究をしています。これは，一例ですが，人的環境づくりが最も重要なのです。「研究を続けよ！」「あなたは研究者です」「共同研究をしませんか」「あなたのやっている研究は，価値があるよ」「社会に貢献することになります」などと専門家に言われれば，本当に価値があると思いさらに継続できるのです。

4 － 学会発表や論文 を書くこと

　学術研究をしているかどうかのある程度の目安になるものは，学会発表をすることや査読論文として，学会誌に投稿掲載できるかどうかです。学術論文にならなくても，いわゆる出版物の一部でもよいのですが，学術雑誌に掲載できるかどうかが一つの指標です。もちろん学会誌も，雑誌などの印刷物だけでなく，Web上のデジタル論文も認められます。ダウンロード印刷をすれば雑誌と同じことです。Webしか発行しない学会も増えてきました。

　記載形式は論文によりますが，おおむね「雑誌名，学会名，年，巻，号，ページ，抄録（Abstract）英語，Journalロゴなど」が明記されています。日本学術会議協力学術研究団体の学会であれば，掲載されている論文，実践記録，技術情報など各種の文献はその認知がされていると考えられています。私の場合の各種掲載された論文などのリストは巻末 F-01 にまとめてあります。

　研究を続けるためには，学会に入ったり，学会発表をすることが重要です。学会に入ることや学会発表することは，主に大学の先生関係や研究所の先生方，行政や企業などの研究者の方しかできないと思っている方も多いと思いますが。実は，そうではなく，興味のある方ならだれでも学会に入れますし，学会発表も可能です。私の場合は，理工学部出身でしたので，学会に入ったり，学会発表の経験はあったのですが，現在は，インターネット情報で，各学会の様子や学会発表の内容などの視聴が手軽にできます。各自の興味がある学会を見つけて入ればよいと思います。興味ある方はご

入会をお勧めします。

5 － ギリギリでも研究職，研究者になると認識すること

　職業としての研究職で生活することはできません。ところが，研究を続けるという側面での研究職は可能と考えています。この本の A-02 「教育職の教員と研究職の研究者の両方をめざした訳」に書きました。そこに，研究職の要件に「5）その他，当該研究分野について，学術論文，学術図書，研究成果による特許等の研究業績を有する者」とあります。

　これによりギリギリ研究者となっているとひそかに認識するのです。実際に，いろいろな方々から，教員と研究職の二足の草鞋とか，忙しいですねとか，最近の研究はどんなことを取り上げておられますか……などと研究について言われることが多くなりました。

6 － 研究場所と研究資金を作り出す

　研究を続けていくのには，C-09 にも書きましたが，研究費が必要です。特に理工系の系列の研究には，ハード側面に多くの費用がかかります。もちろん文系の系列でも費用はかかるのですが，特に工学系の研究は非常にかかります。

　高等学校においても工業科を有する高等学校では建物や設備などが多く必要ですし，実際に校舎もたくさんあり大きいのです。大学におきましては，理工学部系ですと相当な研究施設が必要です。これがいわゆる文系との大きな違いではないでしょうか。このように理工系の研究をしようとすると施設や設備が必要になってくるのです。いくらデジタルの時代と言われても，実際の事物，設備があることが本格的な研究につながるのではないかと思ったのです。

　私の場合，A-04，A-05 にも書いてありますが，最初は応用化学なので化学系の研究をしようと思いました。学生時代の研究のメインが機器分析でしたので，IR（赤外分光分析），GC-MS（ガスクロマトグラフ・質量分析），NMR（核磁気共鳴分析）などの化学分析機器を使っていました。機種にもよりますが，最新式ですと1台2,000万円程度〜となっています。また，

化学系分析の1ロット，1ユニットの分析は，最低でも3万円から10万円程度します。これでは，個人レベルの研究はできないことが分かりました。ここで，研究分野を応用化学系から別な分野に移すことを決心しました。

　それなら何ができるか，学生時代に学び，その後独学で取り組んだ，環境工学的側面やエネルギー側面，ICT情報活用的な側面ならできる。それならば「太陽光発電」をスタートにしようと決めました。これをきっかけに，理工系列の自然エネルギーを中心とした，エネルギー環境の研究をする「恵那エネルギー環境研究所」を設立しました。もちろん，研究所の敷地や研究室の部屋などを他に借りることは費用もかかりますし，出かけていかなければいけません。そのようなために，私設研究所として自宅を研究所とし，自分の部屋を研究室としました。さらにWebページを立ち上げ，「恵那エネルギー環境研究所」がスタートしたのです。

　研究場所はできたのですが，次の問題は施設などを作る研究資金，研究費をどうするかです。この基盤は，科学研究費（科学研究費助成事業：科研費：奨励研究）を取得し，各研究を続けてきました。当然この科研費は助成事業であり，その他にも多くの費用がかかります。このやりくりには工夫が必要ですが，ある程度可能なのです。実践例として，自家用の自動車を中古にしてロングで乗る。物品をインターネットスタイルで入手する。物を買うとき徹底的に研究し安価で入手する。各種インターネットを活用して中古などを入手する。ほんの少しの金融投資のようなものをする。これらにより今まで研究することが可能でした。

　資金の基盤である科学研究費取得などに関しては，先の C-09 「科学研究費（科研費）などを取得して研究する」のところに書きました。このように1から6までが「研究を続ける極意・教員と研究者の両立環境」の各種の方法です。これらはすべてオリジナルで考えながらやってきたことなのです。これが教員と研究職の両方をやってきた手法で，研究内容を授業や各種活動・講座などに活用することで継続することができました。これらのKeywordは，「共有化・連動・応用」で，教員と研究職の両立の基盤になっているのです。

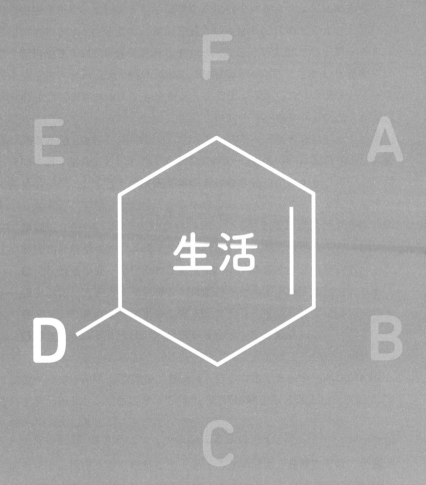

D 生活

人生，生き方の考えとその実践，生きる力をつけ自分を伸ばす極意
生活：キャリア教育，生き方，資格・免許でモチベーションアップ

　ここでは，教育的側面として，キャリア教育，進路学習・進路指導，学歴，資格・免許などについて書いています。今後どのような形の進路をとるのか，どのように生きるのか，どのような生き方をするのかなどの様々な生き方につながる提案をしたいと思います。

　学習するには目標設定が重要です。その目標設定も，「○○をがんばる」，「学力を伸ばす」「○○の力をつける」というような抽象的なものや，具体性のないものではなく，「○○の資格・免許を取得する」「○○点を取る」「評価を○○にする」などの達成度が分かることが良いのです。仕事でも「人のためになる仕事」ではなく「○○の職業に就く」「○○職に就いて，○○を達成する」などの具体的な目標や自己評価，達成度が数値などで明確で，達成度が形として自他ともに見えるものが良いと思います。

　さらに生活をどのようにしているかについて，時間管理や書くこと，モチベーションアップなどを多角的な方向から提案しています。つまり，毎日の生活スタイルの様々なことをここで提案したいと思います。時代に対応した生き方を考え，実行するパワーになることを願っています。

　そのために，今までやってきた私の実践，普段考えていることや実行していることなどを取り扱いたいと思います。具体的には，資格・免許の取得の具体例を記しています。さらに仕事関係として，書くこと，調べ方，時間管理とマルチタスク・トリプル処理，などです。

　そして，研究活動の生かし方として，出前講座やモチベーションに関係する様々な実践事例を示しながら，ほんの少しでも「実現可能な夢」に向かうパワーを引き出すことにつながっていくことを願っています。

D-01　進路を決めるKeyword には
　　　どんなものがあるか

　小学校，中学校，高等学校と進むにつれ，進路を決める必要があります．進路選択には大きな決定の時期があります．それは，高等学校を卒業して就職するのか，大学，専門学校などに進学するのかです．このような重要な決定を下すには，様々な要素が必要です．その進路を決める場合の Key wordやその考えのヒントなどを列記したいと思います。そのKeywordの中に，進路を決める重要なエキスが潜んでいると思います。そのエキスを様々な視点から示したいと思います。

　まず初めに，私の考えた職業分類について次の図に示します。その解説を先にしておきます。このスライド1枚の図は，足利大学工学部の「自然エネルギー特別講義：Cキャリア教育・工学教育」のなかの一コマからです。 D-01-1 キャリア教育と職業教育に示しました

　職業を4つの職業TypeA，B，C，Dに分類し，ポイントを示します。

　 TypeA は，いわゆる一般サラリーマンstyle，給与をいただいて企業の会社員や公務員などになるスタイルです。通常採用時の多くは，特定の資格や免許などは必要としません。一番数の多いタイプかも知れません。

　 TypeB は，専門職styleで，その仕事に就くためには，必ず資格や免許が必須です。専門職，資格職，免許職と言われるものです。

　 TypeC は，独自での営み，自営業や経営者，オーナーというものや○○家などの専門的な仕事です。抜きん出た能力，技能などが必要です。

　 TypeD は，副業，兼業，非常勤，ダブルワーク，トリプルワークです。企業などでは認めるところや届を出せば認めてくれるところも増えてきています。

　 D-01-1 に，「キャリア教育と職業教育」についての分類図を示します。

　現在では，中学校を卒業してすぐ就職する人は非常に少ないです。私の中学校時代は，1クラスに2名程度いました。したがって，高校卒業してそのまま就職するのか，進学（専門学校，大学など）して，その後就職するのかが重要です。その際，十分調べて自分の目的や能力，適性に見合う就職に就けるかどうか，就くのかどうかが重要です。しかし，高等学校や大学などを卒業するときに自分の各要因と希望を明確にして就職する人が少ないのが現状です。

　そこで，小学校の夢，中学校の進路学習，高校のキャリア教育の中で具体的な方向性を見つけることが重要なのです。高校選択や高校に入った瞬

D-01-1 キャリア教育と職業教育

主なもの4点列記

<table>
<tr>
<td>

職業 TypeA

・一般サラリーマンスタイル（給与）
・会社員, 公務員等（職種内容直結の免許 資格の要らないもの）

</td>
<td>

職業 TypeB

・専門職スタイル
・特殊専門・技術
・免許・資格（直結）
・資格等に準ずるスキル（給与制・非給与制等）

</td>
<td>

職業 TypeC

・独自での営み
・経営者・自営業
・○○家・事務所等（給与制も一部含まれるが, 独自を主体）

</td>
<td>

日本標準職業分類
大分類

A：管理職
B：専門・技術職
C：事務職
D：販売職
E：サービス職
F：保安職
G：農林漁業職
H：生産工程職
I：輸送・機械運転職
J：建設・採掘職
K：運搬・清掃・包装等職
L：分類不能

</td>
</tr>
<tr>
<td>

・企業／会社員
・公務員／国家 地方（県・市等）
・各種団体・法人タイプ
◇(株), 事務技術……

</td>
<td>

・公務・企業タイプも含め専門職務
◇医師, パイロット, 大学教員, 研究者, 学者, 学校教員 弁護士, 公認会計士, 看護師, 各種資格職

</td>
<td>

・事務所等所属で あっても独自優先
◇作家, 画家, 音楽家, 芸能人, スポーツ選手 報道 マスコミ関係職 フリータイプ職, 職人 スタイル, カリスマ職

</td>
<td></td>
</tr>
</table>

職業 TypeD

・複数業務, 兼業, 非常勤スタイル,
・各種組み合わせ：会社系, 学校系, 専門家系, 特殊技能系等

→ ・TV出演者
・マスコミ系 事務所関係者
・研究系　・ネット系など

間に, 進路を具体的に調べることが必須です。この中でTypeBは, 資格・免許職ですので, 大学などに入学する際には方向性が出ているのです。高校からの就職と大学からの就職には違いもあります。

D-02 こんなキャリア教育, 進路指導の考えもあります

　キャリア教育, 進路指導にはいろいろあります。その中で, 生き方指導とミックスさせた進路指導について示したいと思います。つまり, キャリア教育は, 「社会的・職業的自立に向けて, 基盤を作ること」に主眼が置かれます。一方, 職業教育は, 「職業に関する, 知識, 技能, 能力などを身につけること」に主眼が置かれていると思います。さらに, 進路指導は, 「生き方, 能力, 適性の開発をしながら具体的な仕事などに結び付け, その具体的な方向性についての指導」だととらえています。これらをミックスし, その関連について書きたいと思います。

職業に就くために何を生かすのか

　これを考えて，私のやっていることを以下に示すことにします。

「職業に就くために　何を生かすのか」収入仕事・ライフワーク社会貢献・プライベートの3つの柱で考えてみましょう。どれも重要で，これが一番大切ということはなく，3つが均等であり，様々な環境や状況に応じて，重点が移動する変動シフトシステムを取っています。

A：収入仕事：生きていくためには収入が必要です。いわゆる仕事です。学校教員をして42年を過ぎました。現在も継続中です。

B：ライフワーク・社会貢献：研究・活動を中核として，様々なことをやってきました。現在も継続中です。「恵那エネルギー環境研究所」の活動を核に，足利大学との共同研究，各種講座・講演などをやってきました。

C：プライベート・生活：重要な家庭を中核とした，日常生活です。

D-02-1 職業に就くために　何を生かすのか

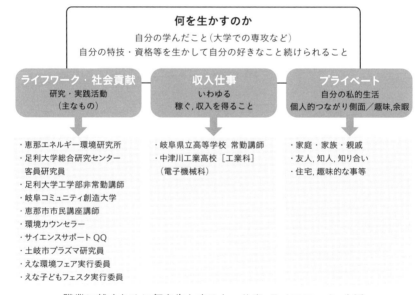

職業に就くために何を生かすのか　　仕事・ライフワーク・生活

このようなことをすべて生き方の3本の流れを大切にしてきたのです。

D-03 学歴，テストの点数などで人生は決まらない

　学校生活で，テストの点数が最も大切なのですか？　成績が最も大切なのですか？　良い高等学校，有名大学などに入学し卒業することで人生が決まるのでしょうか。大切なのは何でしょうか。時代が大きく変化し，人的関係構築能力やICT活用が手軽にできる現在は，確実に人生を良い方向に変化させます。今の時代に対応した考え方のいくつかを紹介します。

　人生は，テストの点数や高校や大学のレベルで決まるのでしょうか。ここでは，テストの点数では人生は決まらないというお話をします。これは，一つの考えにすぎません。

　世の中において，テストの高い点数の取得者，有名大学や偏差値が高い高校，大学，大学院の出身者の方々，その関係者の方がマスコミ関係，テレビ，新聞，Webなどに出ています。これらの方々は，非常にスキルや才能，知能が高く，人的にも優れている人ばかりです。つまり現在成功している人が出ているのだと思うのです。とても通常の人，一般の人はまねができるものでもありません。

　社会の情勢やニュースも「著名大学の大学入試」「大学入学共通テスト」……などの話題が非常に多いのです。よくよくみると「大学入学共通テスト」を利用して，大学入学しようと思いますと，国公立系，私学系を問わず，おおむねどの大学も65〜70%以上の正答率が求められます。大学によっては，90%以上というところも多くあります。では，実際にこのような問題が70%以上取れるのでしょうか。各科目の平均は，これよりかなり低いのが現状です。

　これらのニュース，情報を見ると世の中は「大学入試」や「テストの点数」だけが人生の将来を決めていくと「ある種の錯覚」に陥っているような気がします。もちろんテストの点数はよい方がよいのですが，努力したり，様々な工夫をしたり，各種のアクションをしてみても高得点に至らな

い場合が多いですし，能力はありながら高等学校を卒業してそのまま就職する人もいます。

そこで，「テストの点数では人生は決まらない！」の考え方を示します。

つまり高学歴スタイルと全く同じレベルや同じステージにはならないのですが，これに近づいたり，今のステージより高めることができると思っています。今までの私の実践と，同じ生徒を中学から高校まで連続して6年間見ていると，高校1年生の半年でこれほどまで差がつくというか，伸びる者は伸びるという事実です。このような現場の事実を見たときに，個人の能力は，各種要因で大きく伸びることをつかみましたし，確信しました。

そのキーワードは，「情報収集・情報活用」のいわゆる「ICT系」と「人的対応スキル」だと思います。当たり前のこと，どうしたらよいの……という人も多いかもしれませんが，簡単です。例として，スマホやPCのゲームをスマホ検索にするということと，人の「プロフィール」を調べて使えそうなことを取り入れる，真似をする，その一部をやってみるということです。

私の場合は，この本を書いている現在は，高等学校工業科の教員として，学校勤務しています。これは，A-03，E-10などにも記載していますが，教員免許の「理科と工業」の両方の免許を取れる私立大学を調べることができたからです。A総論にも記載してありますが，このように調べることや調べる力は，人生を切り開く大きな力になるのです。

当時はPCやインターネットが身近にない時代でしたので，雑誌や本，新聞などのアナログ的情報活用により目的の方向性を見つけ実現することができたと思っています。このアナログ的な情報収集・活用能力が，現在のデジタルICT系の情報収集・活用能力に生かされているのです。この調べることは，情報化時代の現在では手軽にでき，さらに広がりを見せ，近年AI（人工知能）タイプを活用した様々な情報に関するシステムが開発されています。

この調べたことを本当に生かしていくのは，人的関係構築能力や人的環境活用能力なのです。つまり，情報活用と人的環境のコラボレーションで

人生が開けるのです。 `D-17`，`D-18`，`D-19` のモチベーションアップにつながります。

`D-04` 資格・免許でスキルアップ，仕事・生活に生かそう

　資格・免許を取得して仕事に生かす。資格・免許の必要な仕事に就く。このことはキャリア教育としても仕事に就くという点でも非常に重要だと思います。資格・免許が必須の仕事は，多くありますが，どれも「専門職」だと思っています。また，資格や免許を取得することで，仕事や生活でのスキルアップにつながり仕事そのものに大きなプラスになり，自分自身の充実感やモチベーションアップにつながると思います。この資格・免許について考えてみたいと思います。

　よく資格・免許を取得すると進路に活かせる。就職に活かせると言われます。ところが，生徒や学生時代に取得する人もいますが，なかなか取得できないこともあります。また，就職に直接結び付くためにどのような資格・免許を取得したらよいか分からないこともあります。

　資格・免許は大きく3つに分かれると思います。しっかりした区別はないのですが，おおむね一般的に以下だと思っています。

- **A** 資格・免許が仕事の必須条件になっているもの。医師，看護師，弁護士，……学校教員……などです。
- **B** 仕事に活かせるもの。場合によっては給与などに反映されるもの。情報系では，基本情報技術者……など非常に多くあります。
- **C** 社会貢献や趣味などの側面に重視されるもの。民間の資格・免許が多いと思います。

　この様に，大きく3タイプに分類できると思います。進路を考えるには，Aが必須で，同時期またはその後，B，Cを取得しスキルアップしていけ

ばよいと思います。

　そこで，私の取得してきた主な資格や免許の一部を再度提示して考えてみたいと思います。この中には，先のA，B，Cの3タイプが含まれています。

資格・免許 主な取得した資格・免許等

❶小学校教諭：専修免許状

❷中学校教諭：専修免許状（理科）

❸高等学校教諭：1種免許状（理科）

❹高等学校教諭：1種免許状（工業）

❺理数系教員（CST：コア・サイエンス・ティーチャー）上級認定教員〔小中学校〕

❻教育士（工学・技術）：（公社）日本工学教育協会認定

❼毒物劇物取扱責任者（応用化学に関する学科を修了）

❽環境省登録：環境カウンセラー（市民部門）

❾岐阜県地球温暖化防止活動推進員

❿岐阜県環境教育推進員

⓫情報処理国家資格：初級システムアドミニストレーター

⓬環境社会検定試験（eco-people，エコピープル）

⓭環境教育一般指導者：プロジェクト・ワイルド　エデュケーター

⓮地球温暖化防止コミュニケーター（環境省，地球環境局長）（2016-2022）

⓯第4級アマチュア無線技士（旧：電話級アマチュア無線技士）

　私の場合，工学，特に応用化学系が好きだったので，工学系大学で教員の免許（理科・工業）の両方が取得できる大学を調べ進学して，教員免許を取得しました。最初は，中学校1種（理科）と高等学校1種（理科）（工業）だけでした。教員に就いてから，小学校の免許や小学校，中学校の専修免許を取得しました。他の資格・免許は，学生時代や仕事に就いてから少しずつ取得したものです。もちろん見ていただくと分かるのですが，理工系の資格・免許が主体となっています。資格・免許の取得のために勉強しま

すし，それがスキルアップにつながり，仕事や研究・活動，生活に生かせるのです。そのためにも資格・免許取得は非常に重要だと思うのです。

D-05 生徒・学生時代の学習や スキルを生かしてステップアップ

高校や大学など学生時代で学んだことを直接仕事や生活に生かす。学んだことをダイレクトに活用できる仕事に就く。このように考えて実行すれば，学生時代の学びが，より一層有効で意義あるものに変身します。学生の人は今の学びを，社会人の人は学生時代に様々学んだことを総合的に活用し，スキルアップにつなげることができるのです。

日本での就職は，新卒者を主体として，仕事に就いてからその内容を学び，適材適所に配置するというところが多いようです。即ち，企業などに入り研修を終えて配置し，配置されてから仕事を学ぶというスタイルです。
一方，ヨーロッパやアメリカなどでは，どのようなことができ，どのようなスキルがあるので，この仕事に就くという仕組みです。仕事に対する能力を生徒・学生時代に獲得し，そのまますぐ働けるということが多いように思います。転職もスキルアップや給与アップなど総合能力をアップし，生かすために転職する場合が多いようです。ドイツなどでは，1週間の労働時間が40時間のところもあるようです。残業も含め，1日10時間が限度と定められているようです。ところが日本の教育現場ではそのようにはいきません。1ヵ月の残業が100時間以上ということもよく聞きます。これは，1ヵ月20日働くとして，1日5時間程度の超過勤務です。ところが，日本の教育現場では未だに解決ができず苦労しているのです。他の業種でも，同じようなことが言えるのではないでしょうか。ヨーロッパの国々と比較して効率が悪いのではないかと思ってしまいます。
この原因の一つは，効率化・共有化の側面と職業マッチングとか，すぐに働けるスキルの習得が学生時代に弱いのが原因しているのではないかと思います。仕事に就いてから仕事のスキルを身につけるための時間や労力

が必要であったり，生徒・学生時代に学んだ仕事に就いていないので，専門性がうすれるということが言えるのではないでしょうか。

このような日本の文化を変えたりするのは困難ですので，生徒・学生時代に仕事に就くためのスキルを身につけるような学びが必要だと強く思います。つまり仕事のための力を身につける学校で学ぶことが必要ですし，学んだことをすぐに活用できる仕事に就くことも必要です。

生徒・学生時代に学んだことが直接生かせる仕事に「教員」があります。特に，高等学校の教員は，大学時代に学んだことがすぐにそのまま生かせます。専門教科の科目を教えるので，そのまま活用できるという訳です。さらに高等学校工業科の「工業」の教員は，実習・実験も含めすべて生かせます。高等学校教諭一種免許（工業）の最大の特徴が，免許1つで59科目を教えられることです。59科目の内訳は，機械系，電気系，応用化学系，建築系，土木系，工芸系，デザイン系などの科目に対応できる広域免許なのです。工業科の教員の多くは，高等学校工業科出身の教員が多く，高校生時代に専門教科や実習・実験をしています。もちろん私のように普通科系列から教員になることもできます。同じ専門ですと，高等学校3年間，大学で4年間の合計7年間その専門を磨くことになり，実際に教員として仕事に就いた場合，各自が学んだことをそのまま使って生徒に教育できるわけです。これは，短時間・高密度・ダイレクトに教えることができ非常に効率的だと思うのです。

私は，理工学部（工学系）で応用化学を学び，理科・工業の免許を取得しました。理科では，「化学」が専門であるため，学生時代で学んだことがそのまま，深く，さらに最先端テクノロジーを取り入れて教えることができました。工業では，「工業化学系」はもとより，「機械系」「電気系」も工学部的な学びとその手法を活用して授業を推進してきました。このように，生徒・学生時代に学んだ仕事に就くことは，非常に有益だと思うのです。

さらに，私の場合学生時代の学びの発展形であるエネルギー環境関係や食品化学，分析化学関係や独学による情報関係など学ぶことが増えてきました。

そのために，自分の適性や方向性，能力特性などは，学生時代に十分検討しその具体的な方向を習得しておことが必要であることはいうまでもありません。

D-06 表現力としての「記述表現」書くことの大切さ

人間が表現する方法は大きく３点があると思っています。「音声表現」，「記述表現」，「創作表現」です。「音声表現」は発する言葉などで表現する方法です。最も一般的な方法で，「話をする」とか，いわゆる「コミュニケーション」というものがこれにあたります。「記述表現」書くということです。人間に与えられた最も高度な表現方法と思っています。「創作表現」ものを作る（立体物，音楽，書，デジタル……）ということです。これも高度な人間の表現です。ここでは，主に書く表現「記述表現」の重要性について書きたいと思います。

学習する基本は，昔から「読み」「書き」「そろばん」し言われてきました。「読む」は，書物を読む，教科書を読む，など「読んで学習」するというものです。「そろばん」は，計算することです。このどれも大切です。ここでは，特に最近大きく変化してきた「書く」ということについて考えてみたいと思います。

今まで，小学校から中学校，高等学校まで授業をやってきて，形が大きく変化し減少してきたのは，「書く」ことです。これは，特にこの20年間大きく減ってきています。つまり通常の授業でノートを取ったり，レポートを書くなどの学習，操作内容が確実に大きく減ってきているのです。

その要因は各種ありますが，デジタル化の流れ，授業の中でデジタル画像，即ちパワーポイントなどのプレゼン資料や各種コンテンツ，画像，動画などを活用するためです。もう一つは，授業において，児童・生徒が，タブレットやPCを活用して，ノートなどに手書きをしないことだと思うのです。

では，「そんなに手書きで書くことが大切ですか」との声があるかと思

います。これについて B-14 に書きました。時代に対応してICT教育，各種パソコンなどのデジタル機器を活用した学習の方が優れているという意見も多いと思います。私自身も，パソコンを授業に活用し始めたのは平成元年（1989年）頃からです。このころは，これから100％近くまで，デジタルでいけると強く思いました。ところが，授業や自分の仕事や生活にデジタルを主体として，パソコン，スマホ，タブレットを活用すれば活用するほど各種の弱さが見られることが分かってきました。そのデジタルの弱さの一端を以下に示します。

　条件，目的に応じた柔軟な思考表現がしにくいということです。計算などは機械にやらせてしまうため，理解とその方法の取得がしっかりできていない，漢字などが覚えにくい，特に書くことが伸びない，テストなどでの記述部分が弱い……など様々な弱点が見られるのです。もちろん，手書きとデジタル，パソコンなどの端末を活用するという点において同様に認識し知識・学力・実用的な側面に活用できる人と，それができない，もしくはできにくい人がいるということです。つまり，デジタルに任せてしまって，ますます書けない児童・生徒が増えているのは長年授業をやり続けていて思うことです。

　ではどのように対応したら良いのでしょうか。それは，授業や学習はもちろんのこと仕事や生活に，書くことを増やしていくことなのです。その基盤になるものが，レポート（Report）です。私の授業では，担当1科目2単位として，年間を通して10回程度書いています。それも自由形式レポートで書くのです。つまり，A4，A5などの白い紙に，課題に対して自由にレイアウトも考えて書くというものです。何回かやっているうちにどんどん書けるようになり，記述力，書くことによる表現力が確実に高まることが実感できます。それと当時に，情報を結合して活用する力，思考力，まとめる力などReportから様々な力が確実につくことが分かります。書くことを大切にしたいと思います。

D-07 検索能力は，学習，生活，人生を切り開く 必須スキル

　物事を調べるということは，非常に重要で，学習や仕事，生活に大きく役立つだけでなく，「調べる力」「検索能力」は，生きる柱となる重要な要素です．昔は通常の生活では，調べる場所と言ったら，図書館ぐらいです．興味のある関係の情報であれば，自宅などの本や雑誌も少しはあったかもしれませんが，すぐに深く調べることはできませんでした．

　私の場合は，子供のころ電気製品に非常に興味があり，電気屋さんに行ってカタログをもらってきたり，直接メーカーにはがきや手紙を送って，電気屋さんにある総合カタログや単品でも詳しいカタログを送ってもらったのを覚えています．ここでは，調べることがいかに重要で大きなプラスになるかの一端を示します．

　経験を振り返ってみると，大学受験では，工学系の教員の免許（理科・工業）の両方が取得できる大学を受験雑誌などで調べました．当時，50年以上前では，インターネットはもちろんなく，タイムリーな情報や目的に応じた情報を得ることは非常に困難でした．それを調べるためには，月刊雑誌やチラシ・広告のようなものだったような気がします．月刊雑誌であっても，おおよそ1ヵ月ぐらい前の情報なので，情報をつかんだらすぐに動かないと間に合いません．もちろんその情報が公開されるのが1ヵ月から2ヵ月後になりますので，情報を出す方もそれを見込んで出す必要があります．

　したがって，あらかじめ情報をキャッチし調べる環境を整え，常にスタンバイしておく必要があるのです．さらに，同じような内容を調べるのに比較検討ができず，情報が一つでありこれを活用するしかないということもあります．

　ところが，現在は，情報をほぼリアルタイムで入手することが可能です．現在は各種情報は各種メディアなどで非常に多く存在し，様々なルートで流れています．検索方法，検索サイト，検索システムも多様化しています．

情報を取ろうとしなくても自動的に入ってくるものも多いのです。この現状を踏まえ，必要な情報を自ら選び比較し活用していく力が必要なのです。さらにこの情報は正しいのか有益なのかなども，見極め判断する力も必要なのです。

このように調べるということは，新たな知識を得るだけでなく，判断したり，考え活用する力が必要です。そして，各種の情報を統括したり，共有したり，分析することにより新しい知見の開発につながるのです。

これは，学習や生活，もちろん仕事も同様ですが非常に重要な事柄ですし，記憶に頼りがちですが，その場で調べ方を知っており，早く，確実に複数の情報を得て分析できること，活用することが重要なのです。これが，現在の文部科学省からの「新学習指導要領」に直結している内容ですし，目的としていることの重要な手法なのです。調べ方のポイントを以下に示します。

1 インターネット検索

検索サイトを活用して検索します。日本においても多様化しています。Google，Yahoo，Bing……ChatGPT，BingAI などのAI対話型も増えています。

まだあるのですが，検索システムはどんどん進化しています。

2 得られた情報を活用

検索内容の最低3つ以上の情報を比較する。その得られた情報から必要な情報への分析・まとめをし，新たな活用できる情報を構築する。

3 情報を活用した，統括した知見・技術の活用

人生，仕事，生活に活用して，学習，資格・免許取得をもとに目的をめざし，さらに仕事の遂行，生活に生かしていく。これらの情報が必要な情報や真実かどうか，目的に適合しているかどうかなどの検証も必要です。

人々のプロフィールの活用で，
人生に大きなプラス効果

　人生を歩むのに，先人や今活動している様々な人の生き方を学ぶことは非常に重要です。著名な方から身近な方まで，いろいろな方の歩みを学び自分の生活に生かしていくということです。つまり，プロフィール（プロファイル）〔profile〕経歴：ある人物の名前やその人が経験してきた学業や仕事，身分や地位，役職，肩書，生き方の流れなどに関する事柄のことです。このプロフィールを参考にして，人生を切り開くという考えです。とても，歴史的人物や教科書に出てくるような人物では，ハイレベルで直接的に取り入れることもできませんが，近年活動している人や身近な人のプロフィールを参考にしていけば，人生が大きくプラスに変化するということのお話です。さらに調べるにはコツもあります。

1　プロフィールはどこにあるか。どのような事例があるか

　図書の最後の奥付に出版に関する情報の中に，著者名とプロフィールが掲載されているので，必ずじっくり読むようにしています。新聞，雑誌などにも簡単ですがその方のプロフィールが掲載されています。人物紹介のようなページや記事も多くあります。さらに，インターネットを活用した情報，ウィキペディア（Wikipedia）をはじめ，Web，SNSなどには，たくさんの情報があり，自らプロフィールを公開している人も多くなってきました。私もその1人かもしれません。研究や活動をしていくためには，確実に必要な情報を公開したり，プロフィールとして，活動の様子や経歴などの掲載が必要なのです。

　そこで私は，あらゆるメディアや情報で，興味があったり，気になった内容に関する人物について，活用できることはないか，参考にすることはないかを考えすぐに調べるようにしています。さてどのような例があるのでしょうか。

　最近調べたことをほんの少し列記します。（順不同）

1）有名な野球選手（野球）：「目標設定シート」2010-12-06の記録 ▶
体力づくり，コントロール，キレ，スピード，変化球，運，人間性，
メンタルの8項目のうち，運，人間性，メンタルは非常に参考になり
ます。

2）教育学部出身で，野球の監督，大学の教授まで務め，現在も大学
に籍を置き，世界の野球の舞台で監督として活躍されている方。

3）芸能界のグループ出身：大学院修士，気象予報士，ファイナンシ
ャルプランナー，防災士，大学院まで学ぶ，資格・免許。業務と学び
並行処理。

4）芸能界で活躍のため努力してきた人：苦労をして，人生を切り開く。
書くことが好き。相手のことを考えるフロー。人的対応力の基礎を学
ぶ。

5）歌に込められている歌詞と仕組み，作詞者：多くが人生を推進す
る歌詞がやる気につながる。グループの厳しい仕組みが人生アップ。

6）厳しい家庭環境の中で，仕事の超効率化で，社長，大学教授にな
った方。

7）学歴ではなく実務をとり，考えられないほど躍進されている棋士
の方。

8）昔から知っている人で，起業してご活躍している方。

9）本を書いている人：著者の説明より多くの情報の活用。

10）新聞「この人」や雑誌「輝いている人」などのプロフィール情報。

11）広報誌，地元の広報誌の掲載などによる地元で活躍している方々。

　私の場合も少しは，テレビ，ラジオ，新聞などに掲載されています。
Webページ関係は，非常に多くでていますし，別途「恵那エネルギー環境
研究所 総合Webページ」にリスト化して載せています。F-02 実践活動の
リストに記載しました。実は，私自身もこの本にプロフィールを情報公開
しているのは，自分自身の生きた証とエネルギーの創造のためにです。さ
らに，この本を読んでくださった方が，地方にいる一教員に過ぎないです
が，この程度のことができる，これなら使える，参考になるなどエネルギ

ーやパワーを生み出し，マイナスをプラスに変換して人生の探究をしていただければと思ったのです。

2 どのようにプロフィールを調べるのか。調べるコツ，利用するコツ

前のページに，本やインターネットなどで調べることを少し書きました。ここではもう少し調べるコツを詳しく書きたいと思います。

現在では，インターネットがあるので，ありとあらゆることが「名前」などのKeywordを入れることで瞬時に調べることができます。私がインターネットのWebページをつくり掲載し始めた2000年ぐらいは，Webサイト関連の各会社，検索関係会社，Yahoo, Infoseek, gooなどにメールや書面で掲載などをお願いし，審査に合格しないと掲載してもらえませんでした。関係の名前などを入れても，あまりヒットしなかったのを覚えています。私の作ったWebページもヒットもしないし，もちろん名前を入れても活動などをあまりしていない時期でしたので何も出てきませんでした。

ところが，2010年ぐらいから急激な上昇をとげ，インターネットの各種の検索サイトの利用と最近では人工知能チャットボットなどの利用があります。非常に多くの種類がありますが，一つのことを調べるには，必ず複数，できれば3つ以上の方法やサイト，各種の用語で，複数調べる必要があります。

検索サイト：Google, Yahoo（検索エンジンの内部では，Googleの検索アルゴリズムを使用。GoogleとYahoo!の検索結果は類似），Bing……人工知能チャットボット〔Chat GPT（OpenAI社）〕〔BingAI（Microsoft社）〕を使っていますが，それぞれの特徴があります。必ず真実かどうかも含め，その情報が正しいかどうかを見極める目と手法が必要です。

検索の実例について私の例で示します。「恵那エネルギー環境研究所」「恵那ライブ気象台」「丸山晴男」というKeywordでかなり引っかかってくるようになるにはしばらくかかりました。2010年頃までは，半年ほどかかったように思います。2015年をすぎるころから，テレビなどのマスコミや本などを書いている人，芸能人関係，スポーツ関係，文化関係，記号関係，研究関係，一般市民で活動している人など相当な人が手軽に検索でき

るようになりました。さらにその内容も詳しくなる一方で、文書・文字的な情報から画像など様々な情報がいっぱい出てきます。

　検索は、粘り強く、複数の検索システムで、用語を入れ替えたり、リンクをたどったり、複数のサイトで比較しながら調べるのがコツです。調べたことは、必要に応じてプリントアウトし比較します。慣れてくるとそのコツが感覚的に分かり、わりとはやくヒットし、必要な情報が得られるようになります。そこまで、結構な時間がかかりますし、必要な情報を取捨選択、比較、正しいかどうかも見抜く目が必要です。

「こんな生き方があるのか」「このようにして今があるのか」「こんなことをやっておられるのか」などをつかみ、これらの情報から自分に取り入れられること参考にできること、直接まねができることなど作り出し、すぐに生かす訳です。情報を融合化や発展させることで新たな活動などが生まれるということをやってきました。「実現可能な夢」ということで大変役に立っています。

　私の場合、これらの情報で大きく人生のプラスになった事例があります。先の C-12 にも書きましたが、ビズアーク時間管理術研究所（水口和彦氏）の情報です。雑誌で見つけWebを調べ、実際に電話やメールで連絡を取り、時間管理の方法を学びました。システム手帳リフィルも作ってもらいました。私の人生を支え、パワーに変換することのできる有益な情報です。一言でいえば、情報収集、取り入れ、活用することで人生が確実に進歩しプラスになるのです。

　人生を切り開く情報は、様々な人のプロフィールの中にあるのです。そして、調べたプロフィールの中から、自分に取り入れられそうなことや参考になりそうなところはそのまま情報として活用する。あまりにもかけ離れている場合は、その方の能力や生き方などに感銘を受け、自分のエネルギーに変えています。その方法は、人それぞれですが、プロフィールを調べ活用し、自分に取り入れエネルギー変換しパワーを生み出すことができるのです。プロフィール調べと活用は、自己能力開発の魔法のツールなのです。

D-09 時間の有効化, マルチタスク, トリプル処理をしよう

人間にとって，最も平等なものの一つが「時間」だと思うのです。時間をうまく使うことで，人生が良い方向，実現可能な夢に向かうことができると思っています。時間の活用の仕方は人それぞれですが，時間は各個人が管理運用できます。「保有している時間」「時の進度」は，皆さん同じなのです。では，どこで時間を有効にするのか。どこで時間をコントロールするかです。

その Keyword は，「時間密度」「並行処理，トリプル処理」「時間地図」などです。これらを考えて，時間を管理しながらいわゆる「時間を活用することでできることが増える」のです。つまり，「短時間で多様なことができる」ようになります。

1 時間密度と高速処理, トリプル処理

ある決められた時間の中で，どれだけの学習，仕事などの成果を上げる，総合的な生産性を高める，効率を高めることを「時間密度を高める」「時間密度を濃くする」と言っています。では，時間密度を高めるにはどうしたらよいのでしょうか。その方法はいくつかあります。

1) 睡眠時間の密度を高める（睡眠の時間そのものを短くする）。なんだ，「睡眠時間を削る」のか。そうではありません。睡眠の密度，つまりグラフでいえば，深い睡眠を増やして，睡眠効率を高めるのです。そうすれば，活動時間が増えます。私は，おおむね，10時前後に寝て朝4時前後に起きます。平均睡眠時間は，5時間から6時間ぐらいです。

2) 短時間で同じことをする。つまり効率を高めるのです。無駄と思われることは少しでも減らし，結果の出る必要な勉強や仕事をしていく訳です。

3) 手早くやる。つまり高速処理です。人間にも高速処理が可能です。

同じ仕事を確実に，意識的に速度を高めて実施する。

4）いくつかのことをやりかけにして，いつでも取りかかれるように
しておく。やりかけはいけないという考えからプラス的な方法に
転換します。

つまり，すぐに取り掛かれるようにするためにやりかけにして
おくのです。即ち，Aのことをやり，次にBのことをやり，Cのこ
とをやる。一つのことが済んでからやる。1個60分とすると，180
分かかります。ところが，A，B，Cをそれぞれやりっぱなしにし
て並行処理，この場合はトリプル処理にしておくと，120分から
150分ぐらいで終えられるのです。

5）細かいタスクを作らない。やることを書き出し，一つ一つ消して
いくというようなタスク実行型ではなく，大きな項目だけで，す
べて実施してきました。このようにすると実施内容が多くても少
なく見え効率的にできるのです。つまり，省エネ効率化とトリプ
ル処理，高速化が可能になります。

2 時間の有効化とトリプル処理

時間を有効に活用するには，時間密度を高めることの他，同時に複数の
ことをこなすトリプル処理や共有化とその実行のためのエネルギーが必要
です。

それは，自動車の「プラグインハイブリッドカー（PHEV）」と「核融合
反応エネルギー」の考えと共通する点があります。つまり，PHEVの場合
は充電します。この充電した電気エネルギーに加えガソリンなどのエネル
ギーを活用して走行するエンジン・内燃機関とエンジンによる発電した電
気エネルギーでモーターをまわすことができます。さらに，太陽電池で充
電することもできます。

一方，太陽エネルギーの中核となっている「核融合反応エネルギー」は
重水素Dと三重水素（T）の核融合によりエネルギーが連続して放出され
ます。これらのエネルギー発生が，ダブル，トリプル処理ですし，時間密
度を高め同時にさらに高いエネルギーにより，多くの業務を吸い越してい

くことにつながっているのです。この考えは実践に活用できると強く思って実行してみました。

D-10 人生を切り開く、仕事のスタイル4Typeはこれだ

　職業選択は、人生の非常に大きな山です。その「実現可能な夢」に向かって山登りをしていくのです。自己分析と様々な情報を組み合わせて、自分なりの山に登る方法を開発し、山を選び山登りの方法を選択して、山の頂上に登ることだと思います。そのための方法や4Typeをここに提案し、今後の職業選択や現在の職業やその在り方を考えるヒントになれば幸いです。私の考えたそのヒントになるKeywordと考え方のいくつかを紹介します。

　今世の中では、中学校、高等学校、大学、大学院などのいわゆる学校を卒業すると社会人になります。社会人になって生活していくためには、何かの仕事に就く、つまり就職、職業人となる訳です。それぞれの進路については、進路指導、進路学習、キャリア教育などで専門的に行われています。ここでは、そのポイントとなるKeywordを示したいと思います。

　職業や「仕事に就く前」「仕事に就いたら」実行すると効果がある考え方です。私が長年やってきたことをヒントにまとめてみました。世の中では、いわゆる難関と言われる進学校や難関大学をめざします。難関大学は旧帝国大学や国立独立法人系などの国立、公立大学、有名私立大学などをさすことが多いです。

　では、難関校や偏差値の高い大学等に入学することで、人生を切り開く希望の職種に必ず就けるのでしょうか。逆に、通常の大学、難関でもない大学と言われるところでは、希望の職種や学生時代に学んだ内容を活用できる職種などには就けないのでしょうか。さらに、高校卒業では希望の職種に就けないのでしょうか。それは、職業選択をする各個人が自分に見合う職業を選択し、推進することができれば、希望の職種に就くことが可能

と考えます。

　昭和の時代のように，家庭レベルでPCが活用できない，インターネットがない時代ならば，いわゆる学歴が高い，難関大学が優位，それ以外は実現不可能というような感じだったように思います。現在は，ICTが整備され，学習から生活，仕事から各種業務，研究まで，様々な場面で活用することが可能であり，実現可能な環境が整ってきていると思います。

　そこで，今までとは違った様相が見えてきていると思います。一言で言えば，難関校レベルでなくても，実現可能なケースが増えてきているように思います。具体的な事例や専門的見地からの情報は，各種調べていただけるとある程度分かります。ここでは，私が感じたことを踏まえ，職業の分類などについて考えてみたいと思います。

　職業選択，職業に就き仕事を続けていくには，大きく4つのパターンがあると思います。もちろんどれもプラス思考でとらえての話です。時代とともに考え方や各種状況が変化するので，一つの考え方にすぎないかもしれませんが，目の前の「生徒」などに伝えてきました。

　以下に仕事に関する，私の考えた4つのタイプを示します。

　TypeA 自分のスキルをそのまま生かせる仕事。自分の適性，特性にマッチし，自分としてもうまくやっていけそうなタイプ。

　これは，高校や大学の教育の専門性を生かし，自分の持っている特徴，特性，特技，資格・免許などを生かして仕事に就く場合。非常にマッチして，能力が発揮され，やる気がアップし，仕事もどんどんできる可能性が高いです。

　TypeB スキルアップ，変革，新たな能力を開発し，適合性を見つけ生み出すタイプ。これは，最初は適合しなかったり，専門性が直接生かせなかったり，専門性や適合性が生み出せない場合。その後，努力や工夫，スキルアップ，人的対応などで適合したり，仕事ができるスキルを身につけ，やれるようになることです。1年から10年程度かかるかもしれないですし，やっているうちに無意識に身についているかもしれません。意識的に努力や変革してできるようになるのかもしれません。こうありたいという強い

願いが必要なのです。

TypeC 仕事とプライベート，仕事と自分の特性，適合性なども含めた内容を区別，けじめ，場合によっては我慢して割り切って，今の仕事を続けていくのです。これは，ある意味でつらいことです。私の知る限り，日本は，職業に就く場合，特別の専門職や資格・免許職でない場合，会社などの職場についてから，適材適所ということで研修その他で部署を決めて，仕事を覚えていくというスタイルが多いようです。

TypeD 進路変更，スキルアップ・変更スイッチです。これは，仕事に就いて，自分に合わなかったり，職場の環境に合わなかったり，能力がマッチしない場合，TypeCのように，割り切っては続けられないという場合です。この場合も離職し，転職するということです。同じ会社などの職種や部署を変えたりする方法もあります。さらに最近は，自分の適合性に近づけて，スキルアップする方向での転職という方法が出てきたようですが，どれもキャリアップとか高い専門レベルでの転職や移籍です。転職は大変なことなのですが，自分に合わない仕事を続けていくより合う仕事を求め，今の仕事をスイッチさせて新しい仕事に変更するという考え方で仕事に就くのです，部署変更も含まれます。

　私の学校勤務を振り返ると，小学校，中学校，高等学校に勤務しました。高校においては工業高校や普通科高校などの校種を経験しました。学校規模では，小規模，中規模，大規模があり，地域性の違いもありました。合計で，14校を経験しましたが，この学校の勤務は，転職と同様の効果というか，変化があったのです。それぞれ新鮮で，多くの経験をすることができました。

　ここで考えていかなければならないのは，日本の多くの場合，学生時代に学んだ関係のところに就職することがそれほど多いように思われません。

　ところが，欧米などでは，学校での学びに直結や関連したところで仕事をする場合が多いような気がします。以前ヨーロッパ，ドイツ，フランス，イタリア，オーストリアなどで研修をしたとき，フランスやドイツでは，初等教育後期（小学校高学年レベル）ぐらいから検討し，中等教育前期（中学生頃）の早くから，かなり限定的に進路を決め，それに就くように学習な

どをしていく教育制度を見てきました。細かい進路，高校までか大学へ行くのか，それぞれの分野はどこにするか，採用も「○○をやる」ということで就職をしていく訳です。転職も多いですが，スキルアップ，仕事環境アップということで，同業タイプや関係タイプで転職することが多いようです。日本の場合は高校まで，または大学レベルまで決定せず，いざ就職する際になってどうしようと検討するという感じが多いようにも思います。そこで，D-02，D-03，D-04，D-05 に書いたように，資格・免許を取得する，専門職を選択する，自分の能力などに適合する仕事を見つける，早めに職種を考えるなど情報収集や具体的な資料を入手したり，インターンシップに参加する，見学する，人から情報を得るなどあらゆる方法を通して，「実現可能な夢」をつくり，それに向かって邁進するのです。

　ところで「ブラック企業」の反対である「ホワイト企業」という言葉がよく聞かれるようになってきました。とらえはいろいろあるようですが，おおむね以下のようです。「ホワイト企業のイメージ」は，給与が高い，残業が少ない，福利厚生が手厚い，有休を取得しやすい，女性が活躍しやすい，離職率が低い，職場の人間環境がよい，職場の施設環境がよい，……などです。それでも，離職する人が増えているというデータもあります。このことについては，D-01 の進路のところに記載してある表〔職業4タイプ〕を参照ください。

　自分がどのタイプか決める必要はありません。AとBの組み合わせとか，CからBに近づくとかいろいろだと思います。重要なのはこの自分の特徴をつかみ，対応改善していくことなのです。下記に，職業のとらえ，TypeA，TypeB，TypeC，TypeDの4タイプの特徴・要点をまとめました。

TypeA，TypeB，TypeC，TypeDの4タイプの特徴・要点

TypeA：自分のスキルをそのまま生かせる仕事，適合性マッチ

TypeB：スキルアップ・変革，新たな能力開発

TypeC：仕事とプライベート，区別，我慢，けじめ

TypeD：進路変更，スキルアップ・スイッチ

　↓

D-11 ICTと本・ノートで学習, 仕事はどこでもいつでもOK

　児童, 生徒, 学生の皆さんは, 学校や自宅などの机の上で学習する。勉強は, 机の上や静かなところで集中してやる。その他の場所では勉強できない。たとえ勉強しても, 頭に入らない。仕事は, 仕事場でしかできない, などと教えられ, そのように考えている人がまだ多いと思います。本当にそうでしょうか？

　学校教育においても, オンラインが増えてきています。仕事の側面でも在宅勤務や移動場所での勤務も増えてきています。これらを考えると, いつでもどこでも学習・仕事が可能になりますし, 有効性のある学びや仕事ができるのです。

1 学習, 仕事はどこでもできる

「学習, 仕事はどこでもできる」がKeywordです。これについては, どのような学習をするか, どのような仕事をするかといことで, その内容が違ってきます。しかし, ICT機器〔PC, タブレット, スマホ〕とインターネット環境があれば, 相当なところでできるのです。さらに, どんなところでできるのでしょうか。車の中, 電車の中, バスの中などの乗り物の中, コンビニなどのスペース（短時間）, コーヒー店やファミリーレストランなどの場所, 公園, ベンチなどのあるところなど様々な場所です, 歩きながらでも発想は浮かびます。

　これらは, 各個人や活用する場所において, インターネットや情報機器環境によっても違いますが, どこでも学習ができるのです。但しセキュリティーなどの対策を取った, 独自のインターネット環境で進める必要があります。

　今までのような, 学校や家庭, 職場などの机の上だけでなく, どこでも,

どんな所でも，学習や仕事はできるのです。どんなことをやるのかこれは人それぞれですが，場所や時間，環境などによって，それに適する，勉強や仕事をすればよい訳です。調べもの，データ管理，原稿記述，メール，学習動画，学習アプリの活用による学びなど様々です。

たった5分でもやれることはやれます。このような，非常に短い時間の積み重ねが重要なのです。インターネット環境があれば，各種の勉強や仕事ができるのです。さらに書物や手書きのノートでも実施可能なのです。

2 勉強や仕事内容によって，それぞれ適した環境やツールで行う

読書はどこでもできます。乗り物で移動中，ちょっとした座るスペースなどどこでも可能です。それ以上に，大切なのは，「読書」の日常化なのです。「読書」というと文学作品的なことを思うかもしれませんが，ジャンルは問いません。各種の本から，参考書，問題集や説明書，論文，文献まで様々です。

ノートや手帳はいつも身近に置く必要があります。しっかり書こうと思ったら，普通は机のようなものが必要ですが，簡単なメモ程度ならばどこでも書けます，アナログな手書きが重要なのです。さらには，タブレットやスマホのノート機能を使うなども重要です。手書きの画像をデジタル化することも可能ですし，中にはテキストファイル化することも可能です。要するに，頭の中にしまうことはもとより，記録して活用することが重要なのです。ここで，手書きのノートの威力が発揮できるのです。

お金の関係はネット銀行や各種発注などは，ネットショップタイプでPCやスマホで瞬時にできますし，物品の発注もどこでもできます。つまり，各ツールにより自分自身の体とスキルが学習，仕事，情報活用などそのものになるのです。時間とスペースが有効に使え，確実に時間短縮になりますので学習や仕事が大変はかどるのです。いつでも学習，いつでも活動です。

　人には, 仕事場という建物や部屋などの場所で働くタイプと, 外に出て働く移動タイプなど様々な形があります. さらに, 時間区切りのある仕事（勤務時間）などと, あまり切れない仕事など様々な勤務の形があります. さらに, 各種の事案, 時代の流れなどでいわゆるオンラインなどで在宅での仕事や本務場所とは違う場所で行う仕事などがあります. この場合自宅などの生活場所が仕事場になる場合もあります. ここでは, 仕事と生活を共有化させた仕事のスタイルを考えてみたいと思います. このようなことで, 新たな発想を生み出し, 時間を有効に活用し, 各種活動を生み出すことが可能になると考えています.

　前述の D-11 では,「ICTと本・ノートで学習, 仕事はどこでもいつでもOK」ということを書きました. この続きの側面でも考えてみたいと思います. 今まで共有化, 共通化の話をしてきました. 物事を単に共有して進めたり, 情報を共有することだけでなく, 仕事や学習のスキルが高まることを話してきました.

　つまり, 仕事に対して, 区切りをつけるのか, 日常化していくのかということです. 仕事を生活の中に持ち込むと, 休めない, ストレスの連続, 区切りがないというような思いが多いのだと推定します. この考えを逆転させると, 様々な事柄や行動を共有化していったらどうかという考えです. この共有化や連動の考えは, 仕事の種類, 職種, 業務内容など様々な問題で, この基本的な考えが全部に当てはまる訳ではありません. しかし, 利用できるだけ利用することで様々なよい変化が生まれると思います.

　各種業務において, 研修というのがあります. 新任研修, 専門研修, 一般研修……研修という言葉は非常に多くの場所で使われています. では, 研修とはどういうことでしょうか. 研修は, 研究と修養を組み合わせた言葉ととらえて解釈すると次のようなことが見えてきます. 研究は, ある物事について, 知識などを集めて考察, 観察, 調査, 実験, 分析などをして,

追究する過程やまとめるなどのことです。一方，修養は，学問を修め品性や人格などを磨き高めることと，とらえることができます。これらをまとめて，研修を考えてみると「職務などを遂行し，高めるために必要な，知識・技能・考え方などを身につけるための勉強や実習などを行うこと」と解釈できます。

　つまり，この研修を拡大解釈し，どこでもどの場面でも仕事や生活に生かせるととらえるのです。つまり，生活そのものが研修であり，生活にあるものが仕事にも生かせる。仕事の考えや実習が生活に生かせる。仕事だけでなく仕事・学習と生活には非常に多くの共通点があり共有化できるという考えとその実践です。

　学校業務と研究には共通点があります。大学では，学生への教授，学生への研究指導，研究の業務があります。小学校，中学校，高校でも同様です。この研修の考えを広く使うことができます。ワンスポット事例を示しますと，私の場合は学校の教育業務と研究業務がありますが，この内容や考え方をいつも共有化しています。時間的にも学校という建物内ではとても各種業務をこなすことは困難ですので，家はもちろんあらゆるところでやっています。知識や技能情報も同様です。いろいろなことが共有化され活用できるので非常に有効で，短時間で様々なことがこなせるのです。これを教科学習に置き換えると，各科目は独立しているのですが，書く，計算する，まとめる……様々なことは共有的な考えで推進していくと非常に有効です。例として，電気回路の学習は，物理，数学との連動ですね。食品科学は，生物，化学，数学などとの共有です。これをもっと拡大すると，この本にも記載がありますが，STEAM教育（科学，技術，工学・モノづくり，芸術・リベラルアーツ，数学）につながっていくのです。

　即ち，研修および考えや行動，活動内容をすべて，仕事・学習と生活を共有化させることでその内容や質が高まり，時間的，質的に統合され，新たな考えが生まれ，さらに多様なことや質を高めることができるのです。このように共有化，共通化，統合化することで，短時間で高密度，多様なことができるのです。それぞれの実践は，この本の随所に書きました。

D-13 出前講座はこんなスタイルで 有効な情報提供をしよう

「市民講座の関係から出前講座をやっていただけますか」の依頼などがあり，学習や授業，社会に役立つようにいくつかの出前講座を受けるようになりました。行政などの市民講座や各種関係筋からのお話などがあり，今までいろいろな形でやってきました。その都度，依頼内容や〇〇についてやってほしいなどの要望に沿うようにやってきました。ここ数年は，講座内容の一覧を作成し，その中で選んでもらうなどです。その実践活動の内容を F-02 にまとめました。

　どんな場所で実施してきたのか，学校関係，行政，企業，コミュニティーセンターなどいろいろです。実施する中で，少しでも有益になればと現在に至っています。講座は，プレゼンテーション，配布資料，実物などです。私は授業のスタイルをいくつか持っていますが，そのうちの出前講座スタイル授業は，この講座スタイルを応用しています。

　一般に市民講座など，このような講座の受講生の皆さんは，初めて会う方です。少人数の場合は，3，4名から，多い時は，体育館やホールなどで100人，200人，300人ぐらいでしょうか，さらにステージタイプですと不特定なのでもっと多いかもしれません。この方々のご要望にいかにして応えられるか，こちらの願いを伝えられるか，さらに講座を終えたとき，受講者の皆さんが面白かったと思ってもらえたか，役立つことがあったか，新たな知見や情報などが提供できたかがKeywordなのです。常に，説明，実物，サイエンスショーのような実演を入れるようにしています。そして，参加された方が少しでも良かったと思っていただけるようにやってきました。以下に，その講座メニューの一覧を示します。

D-13-1 講座・講演・セミナーメニュー（恵那エネルギー環境研究所）

No	講座領域	講座・講演・セミナー 名	メモ
1	サイエンスショー	サイエンスショーで科学の楽しさ，不思議，生活利用を体験しよう～身近な化学や物理の面白さをミニ実験・ショー・工作で楽しもう～	科学 実験 実演
	タイプA：姿を変える化学の力ってすごいんだ！（色，プラスチック，香料など） タイプB：身近な光など物理の力ってすごいんだ！（UV ビーズ，エネルギーなど） タイプC：各種サイエンスショー		
2	自然エネルギー	自然エネルギーと賢いエネルギー利活用はこれだ！ ～太陽・風力エネと電力自由化情報，お得なエネルギー利活用の決め手～	自然エネルギーの研究
	①電力自由化情報　②地球環境問題と現状　③エネルギー事情　④恵那エネルギー環境研究所の実践・研究　⑤太陽光・熱・風力エネの環境・実験		
3	エコドライブ	エコドライブで地球にやさしく，お得なカーライフ：だれでもどんな車でも，手軽にできるエコドライブテクニック	エコドライブ講座
	①地球環境問題・温暖化の現象　②エコドライブの原理と効果　③エコドライブの方法　④エコドライブの体験データ　⑤HV，PHV，EV，第三のエコカーとエコライフスタイル　⑥今ある車をエコカーに		
4	食環境最前線	食べ物のひみつ，食品添加物のお話～子供から大人にやさしい食品選び食品添加物の少ない食品選びめざして～・スーパーマーケット・外食産業・ショップ比較　等	食品添加物食品食材選び
	①食品添加物とは何か　②食品添加物の種類と表示，パッケージ　③食品添加物のいろいろ　④人にやさしい食材・食品選び　⑤食品を使った実験：ごはん，ハム，香料など		
5	医療環境最前線	医薬品についてのお話～ジェネリック医薬品と先発医薬品とどれだけ違うのか，製法，添加物，形状，実際の薬効状態など～	医薬品情報医療情報
	①ジェネリックとは何か　②医薬品は，どれだけ同じなのか　③ジェネリック（GE）医薬品　④オーソライズド・ジェネリック（AG）医薬品　⑤新薬（先発医薬品）		
6	住環境製品	住環境，省エネ生活のお話～住環境を科学的，工学的視点で考察，各製品の選び方，環境づくり～	住環境・製品情報
	①住環境とは何か　②よりよい住環境（ハード面）（ソフト面）　③各種製品の選び方（電気製品，生活用品など）　④環境をよりよくして，楽しくしていくための各種情報活用		
7	ネットライフ	生活に役立つお得な情報ネットライフ～情報活用は生活を豊かに，便利な魔法のシステム，インターネットを活用したニューライフスタイル～情報機器活用のいろいろ	インターネット活用情報
	①インターネット，Web サイト活用方法　②PC，タブレット，スマホ，携帯など活用　③Pay，電子マネー，ネット銀行，クレジット，デビット，ポイントカード　④ネット通販　⑤情報環境		
8	ICT（情報通信技術）活用最前線	超ミニテレワークのための手軽なシステム構築。ネット活用学習。情報機器活用のいろいろ。超ミニオフィス。	ICT 活用システム
	①インターネット，Web サイト活用した，学習，仕事　②PC，タブレット，スマホ，携帯など情報活用したミニミニビジネス　③各種ネットを活用したマネー運用システム		
9	学習，研究，進路	理科，技術，理学，工学系の学習，研究，進路はこれだ！	学習進路
	①理科　②技術　③高校工業科の学習方法　④大学の理学系科目解説　⑤大学の工学系科目解説　⑥理工系学部の進路（進学，就職）情報　⑦キャリア教育・生き方指導　⑧工学的ライフスタイル		
10	研究推進のいろいろ	自由研究・科学作品：指導，助言，課題研究・学術研究・学会発表・各種論文・査読論文の事例情報から	研究論文
	①自由研究，科学作品の取組と進め方，作成方法等，各種実例の提示　②高校，大学，学会発表，学術論文への取組み方，実例，今までの論文や報告書などから		

150　　**D 生活** 人生，生き方の考えとその実践，生きる力をつけ自分を伸ばす極意

　学習指導要領（H31）で育む資質・能力に「学びに向かう力，人間性など」
があります。この資質・能力を高め身につけるために，「出前講座スタイル」
を授業に活用できると考え，様々な実践をしてきました。その極意のポイ
ントは，常に参加していただいている方，授業の場合は，児童・生徒・学
生の皆さんへのアプローチを第一に，参加型で具体物や映像提示さらに動
きのある授業スタイルを提供することです。これにより，児童生徒は体感
的な面白さと興味を持ち，知識や技能や考え方が身につくのです。

　私の学校で行う授業には，いくつかのバリエーションがあります。
　その一例を示します。

> 1）教科書やプリント活用などのアナログ資料を活用するスタイル
> 2）板書などの手書きで表現するスタイル
> 3）デジタル画像の提示，プレゼンスタイル
> 4）具体物の提示スタイル

　これらの特質に加え，参観者の興味や関心を引き出し，具体物を提示し
変化を見せる出前講座の手法を取り入れると「出前講座スタイル」の授業
ができます。授業の形を出前講座に利用したり，出前講座のスタイルを授
業に活用したりという相互の関係ができ上がります。この考えを利用しま
すと，オリジナルの授業や講座ができ上がります。これが，「アクティブ
ラーニング」，「主体的・対話的で深い学びの実現」につながるのです。他
の人や，生徒からも他の先生とは違うとよく言われます。

　❶形が決まっていない：あらかじめ，プリントやプレゼンテーションを
メインに使う授業は，流れが決まってしまいます。また，そのプリントや
プレゼンテーションを使うので，教員もその流れに沿って授業をし，生徒
の反応やら生徒の要求により大きく授業の流れを変えることは困難ですし，

授業の流れが変わりにくいのです。これをその場の実態に応じて実施するのです。

❷**やわらかい授業**：生徒は、どうしても、プリントなどの流れの通りに追って授業を受けるため、新たな疑問やこれはどうしてかとか別の思考や事柄が出てきたときに質問を受けたり、授業の流れを変えるところまでいかないのです。生徒の思考や実態に応じて変化させる「やわらかい授業」の実施です。

❸**体感・体験**：ところが、私のやっている出前講座の、「サイエンスショースタイル」などは、サイエンスショーを見せる、サイエンスショーを体感して楽しむ、サイエンスショーを見てその科学的原理などを学ぶ、実用化につなぐなどがあります。卓上実験、ミニ実験、実物提示をしていくのです。

❹**具体物・事象**：具体物や事象を見せて、その場で考えさせたり、その場で質問を受けたり、いろいろ生徒の反応を見ながら授業を進めるのです。これだけはつかませる、これだけはやる、という学習課題は提示するのですが、アプローチの仕方はいろいろその場で提示しているのです。そうすると授業に臨場感や面白みが増し、生徒を授業の本質に引き込むことができるのです。そのためにはいくつかの条件と力量が必要なのかもしれません。

そのポイントは以下です。

ポイント：トーク力（MC）です。出前講座などでは、いきなり知らない人の前で、サイエンスショーや各種講座を実施します。3，4名の少人数から、多い時には、300人程度。野外でやる場合は、500人位いるでしょうか。その時に、プリント資料やらプレゼンテーションなどはとても役に立ちません。教室のような割と狭い会場はもとより、体育館、ステージ、野外会場などの広い会場で勝負するのにどんな力、どんな手法が必要でしょうか。

それは、トーク力と実物提示および動きと変化です。出前講座で、トーク力を鍛える勉強や仕事内容によって、それぞれ行う内容は違います。パソコンやスマホ、タブレットなどで業務をこなし、インターネットを活用

する場合は，セキュリティーに十分配慮して活用しなければいけません。

　このような授業スタイルに出前講座の手法をミックスすることで，新学習指導要領に対応できる，新しい形の授業が生まれるのです。その授業の実例や様々な実践は，この本の B授業 のブロックに記載しています。出前講座などの実施については，F-02 のリストをご覧ください。

D-15 サイエンスショーを通して理科好きな子供を育てる

　出前講座でサイエンスショーやサイエンスショースタイルの授業をやります。もちろんサイエンスショーは，子供さんや大人の方も同様です。その際，色が変わった，煙が出た，水がこぼれなかった。「おもしろい」「楽しい」だけで終わらないようにしています。どうしてそうなるのか，どんな原理があるのか，科学的な理論があるのか……などの疑問に思う力や考える力を生み出すことが科学の力を育てます。

　つまり，目の前の現象に目を向け，感動と興味を持つことは非常に重要です。たとえその科学的原理が分からなくても，どうしてそうなるのか，疑問や理由を追究するという姿勢が理科好きな子供を育て，これからの理工系列の学習や進路につながると思うのです。疑問や追究力は探究力を高め，その解決のための手法を習得する方法で学習だけでなく人生の探究もできるのです。その具体的方法を提案します。

　最近，サイエンスショーがよく行われます。著名な方がテレビや文化センターなどの場所で広く公開されるようになってきました。私も時々依頼を受けてサイエンスショーをやります。授業に取り入れる時もあります。現在主にやっているのは，化学シリーズと物理シリーズです。ここではその概要を記載し，どのような方法で実施し，子供たちへの科学の興味関心を持たしていくかについて示すことにします。

　化学シリーズのメインは，「水の不思議：水の色変わり，落ちない水」です。水の色変わりでは，酸性，中性，アルカリ性の3種類の色変わりを

実験ショーで示します。水溶液には，学校などでは，酸性としては，塩酸：HCl（塩化水素水溶液），アルカリ性では，水酸化ナトリウム水溶液：NaOHを使って実験することが多いのです。ところが，化学薬品ではなく，身の回りの製品を使うことでいつも水溶液を中心とした食品を使います。

　具体的には，普段飲んでいる飲料水を使うのです。ほとんどの飲料水は，酸性です。フルーツ類は酸性ですね。中性の飲み物は，水，お茶，コーヒー，牛乳ぐらいです。通常，アルカリ性の飲料水はありません。そこで，洗濯石けん（粉，液体）を使います。洗濯石けんは，アルカリ性です。食器洗い洗剤は，中性。通常の固形石けんは，アルカリ性です。そこで，洗濯石けんをアルカリ性水溶液にするのです。そうしますと，身近な水溶液が，酸性，中性，アルカリ性であることを知り，その液体の性質（液性）を区別するのは，BTBであることをここで，示します。調べる方法を知り，大変興味が高まり，身近な性質のものに酸性，中性，アルカリ性などがあることを知ります。このように身近な製品から入り，酸性，中性，アルカリ性の液性を示す原理は何かと内容を進めます。

　あとは，酸性は，水素イオン（オキソニウムイオン），アルカリ性は，水酸化物イオンです。そこで，塩酸：酸性：水素イオン，水酸化ナトリウム：アルカリ性：水酸化物イオンにつなぎます。関連内容を B-09 ， B-10 ， B-11 に記載しました。

　次に，物理シリーズとして，エネルギーに関する事例を取り上げてみましょう。素材は，「ソーラークッカー」です。ソーラークッカーは「太陽熱調理器」です。ソーラークッカーは非常に多くの種類があります。ここでは，ダンボールタイプのソーラークッカーを取り上げ，これでご飯を炊く，ゆで卵を作る，という話をして，検証実験をします。実際に太陽エネルギーでお湯が沸くことを温度と手で体感します。できたご飯やゆで卵を食べること，そしてどうして，料理ができたのか，その仕組みはどうなっているのか……等をしっかり伝え，実際に，できたものを見せて，その原理に迫るのです。 C-10 にソーラークッカーの実践資料を掲載しています。

モチベーションを持ち続け
ステップアップにつなぐ

「モチベーション」という言葉，一般生活の中で聞かれます。どのような
ことでしょうか，そして，身近な生活に生かせたらどうなるのでしょうか？
具体的な事例を示したいと思います。

　ここ近年「モチベーション」という言葉をよく聞きます。特にテレビな
どのインタビューで，アスリートの方々が「モチベーション維持……」な
どの側面で使っておられます。このモチベーションは特に新しい言葉でも
なく，動機づけ〔motivartion：目的に向かって行動するための，維持や調
整する過程とその機能〕とされています。「内発的動機づけ」，「外発的動
機づけ」などがあり，そのモチベーションの種類も10種類程度はあるよ
うです，心理学などの専門分野で昔から研究され，様々な著書や情報が
Web上などにもあり，専門セミナーなどもよく開かれているようです。こ
の詳細については，専門分野にお任せすることにして，ここでは，「身近
なモチベーション」を取り上げることにします。

　このモチベーションを維持（キープ）したり，モチベーションのパワー
アップ，モチベーション活用によるスキルアップができたらよいと思いま
せんか。また，モチベーションは，「やる気」「意欲」に直結しており，仕
事や学習などで大きくプラスの影響をもたらします。

　私は，自分自身がモチベーションの維持ができているとも思いませんし，
モチベーションコントロールがうまい訳でもありません。まして，アスリ
ートの方々，テレビ・マスコミ関係者，専門家，企業の方々，研究者の方々
とは比較にもなりません。ただ言えることは，この本を書いている現在で
も，時々，私をよく知っている知人，教育業務関係の方，研究活動関係の
方，職場の若い先生方に，「モチベーションが維持できている」「情熱があ
る」「こだわってとことん追究している」「やる気が見られる」……などと
言われます。年を取ると，だんだんパワーが落ちてくるとか，モチベーシ
ョンが維持できにくいと言われることがあるのですが，私の場合，現状維

持もしくは，以前よりモチベーション維持，もしくは，アップしているような気がします。「どこにモチベーション維持のコツがありますか」，とか，「よくそのようなこと（仕事，研究活動，プライベートなど）がこなせるか」とも言われます。そこで，少し振り返ってみて，そのヒントがあるかもしれないので，自己分析してここに簡単に列記して，もし，この本を読んでくださる方のプラスになることがあれば幸いです。さらに「モチベーションコントロール」により，人生がステップアップしていければよいと思います。

モチベーションキープ，アップのKeywordとその方法

❶徹底的に調べ，情報を集める。▶各種問題，事案が発生したら
▶インターネットWeb，図書などの文字，図，映像情報などで解決する。
❷人的チャンネルによる相談，情報収集，分析▶独自の人的チャンネルによる電話やメール，オンライン，場合によっては対面対応をする。
❸他とのかかわりにA：協調性スタイルと，B：独自性スタイルのシフトコントロールをとる。つまり，A：Bの比率をシフトさせていく。これにより総合バランスが取れて，ドロップアウトすることはありません。
❹自分は周りの人より能力が低いので，人と同じようにしなくてよい。独自性を貫く（上記3のBの実践）。なぜかやる気と勇気のようなものがわいてきます。なぜかというのは，次の章で実践してきた説明をします。
❺現状，問題点，方向性や成果などをノート（A5ルーズリーフ）に書いたり，メールなどデジタル文書化して残したり，知り合いにメールするなどです。
❻本や雑誌をよむ。必要な情報収集から生き方まで学ぶ。
❼音楽情報の活用です。好きな音楽，楽曲を聞く。特に，歌詞があるものが有効です。歌詞にそのパワーが秘められているからです。
❽ドラマを見る。特にサスペンスドラマは有効です。問題解決のステップから最後に生き方，人生論や逆境からの脱出のヒントがあるからです。

　この様な様々な方法をとることで，モチベーションアップ，維持につながると思っています。次の章で，もう少し，具体的な事例を示します。

D-17 モチベーションアップ実践1
（情報, 人的, シフトコントロール）

「モチベーション」については，多く研究されていますし，各種領域で専門セミナーや身近な実践事例があります。ここでは私がやってきたことを，前述してきました。モチベーションステップアップの具体的な実践を列記します。

D-16 に少し書きましたが，ここ近年「モチベーション」についての，著書やWeb情報，セミナーなどが多くあります。また専門書や専門論文も多く出ています。また，マスコミやアスリートの方々のコメントは，実に素晴らしいものです。自分もこのようにやれたら，このようになれたらと思ってみたり，セミナーやWeb情報も私にとってはレベルの高い話や理論が多く，利用できる分もあるのですが，実際にはなかなか利用できません。

そこで，今までどのように生きてきたか，やってきたかを振り返ることでモチベーションキープ，モチベーションアップにつながり，今後も活用できるヒントになり，さらにパワーにつながればという思いで，プライベート側面も列記します。

■ モチベーションキープ，モチベーションアップの実践の足跡

❶徹底的に調べ，情報を集める ▶例：病気治療，検査など医者にかかる前後で，徹底的に調べます。薬については，これまでの章にも書きましたが，医薬品の医薬品企業の公式添付資料まで公開されています。各種検査の見方や情報なども十分すぎるほど公開されていますので，これらを閲覧分析すれば，薬剤師さんの説明やお医者さんの病名説明の詳細がほぼ知ることができます。もちろん同じ内容を調べるには，最低3サイト以上を調べ比較するのです。

これにより，どのように対応していったらよいかが分かり，お医者さんや薬剤師さんの専門指導を，さらに深め具体化することにつながります。

また，他の相乗有益作用の情報も得ることができます。

❷人的チャンネルによる相談，情報収集，分析▶自分の考えや方向性，各種プライベート事案については，おおむね直接話せる知り合いが複数いますので，そこで，話して具体的な助言を伺うようにしています。直接情報交流できる知り合いは，いままでの人的構築手法により積み上げてきたものです。これにより，私は何度も救われてきました。日本人は，公開することを恥だとか隠すものだ，公開することはいけないとの考えが蔓延していますが，国際的，人権的にヘルプ行動は非常に大事なアクションです。

❸他との関わりにＡ：協調性スタイルと，Ｂ：独自性スタイルのシフトコントロール：このシフトコントロールの考えは，以前スバル自動車の4WDに乗っていたことからヒントを得ました。最近のスバル4WDは，前60：後40のトルク配分を基本に走行状態に合わせてリアルタイムにトルク配分をコントロールするシステムです。これだと思いました。

また，エネルギー保存の法則によるＡ：運動エネルギーとＢ：位置エネルギーの関係。水素イオン濃度pHの事柄，$[H^+][OH^-] = 1.0 \times 10^{-14}$は，一定と同じ仕組みで，これは応用できると思いました。

たとえば，今教室で独りぼっちだとします。グループでみんな集まって話している。協調Ａ：10（教室にいるのだから）：独自性90（今教室で本を読んでいる。）独りぼっちで，損をしているのではなく，トータルとしては同じだし，独自性90％だから自分のことをやっていて有益であると思えるのです。何かをするとき，常にシフト制を考えて行動したり，思いを巡らせれば，トータル0にはなりません。総合バランスが取れるので，ドロップアウトすることはありません。失敗したときは，それを上回る行動をすることにより，トータルして大きなプラスとなるのです。失敗やマイナス現象は当たり前で，それをプラスにするとらえがあればOKです。

天秤の原理も利用します。損得的な側面が強いのですが，今どちらが重要かを考える。A，Bか，この考え方も利用しています。次の D-18 にモチベーションに関する内容の続きを記載します。

D-18 モチベーションアップ実践2
（独自性の進路でスキルアップ）

　ここでは，「モチベーション」についての具体実践の続きです。少しお分かりいただけたと思うのですが，物事に関して各種の関連付け，引用，自分のできることでチャレンジするということがポイントになるのです。もう少し紹介します。

　先の章に少し書きましたが，「モチベーションキープ」や「モチベーションアップ」は，身近な素材でできることと，考え方と各情報の活用で「モチベーションのコントロール」ができるということです。すべてうまくいく訳もなく，すべて有効という訳ではありませんが，少なくとも現実のキープやステップアップにはつながると確信しています。自分の範疇でどん底であっても，つぶれずに再生，キープし，自分なりに前進していると認識しているからです。

■ モチベーションキープ，モチベーションアップの実践の足跡2

❶自分は周りの人より能力が低いので，人と同じようにしなくてよい。独自性を貫く（前述 D-18 の実践）。みんなと同じようにしていたら負ける。みんなと同じようにしたら，自分の好きなことができない。自己開発が重要だと思い続けてきて，現在に至っています。A-03 をここで再度振り返ってみます。

　これは，中学校の時から高校に進学するときのことです。中学校は当時1学年4クラスぐらいありました。高校進学の時，あまり学力（いわゆる質問紙法による解答能力：実力テストの点数）がなく，とても受かる見込みもなかったのです。受験に失敗したら，私学の高校がそれからでも拾っていただける時代でした。高校も地元でみんなが受けるのでということで理数科（いわゆる点数が高いクラス）を受け，落ちれば普通科に行けばよいと思って受けました。つまり，理数科がダメだったら普通科に行くという計画です。普段は点数が取れないのに，得意？　の，入試当日のみの予想範囲，予想重点，予想問題を自ら作り，表まで作りました。理科を中心に，社会と数

学は有効でした。当日は，あまりにも当たりすぎて，予想の70%は当たっており，理科については90%予想通り非常にでき，合格しました。しかし合格したら，「地獄の日々」が始まりました。ここで，自分の能力を振り返り，再度弱点を見直したのです。

❷**授業についていけず，定期考査の得点も厳しい時どうしたか。**ここでどのような行動をとったかを振り返りたいと思います。現実は，授業や定期考査についていけないのです。理数科80人でしたが，みんなは，各地区の超優秀な生徒ばかりで，とても私の出る幕ではないと気がつきました。当時は，不登校もなく，終身雇用制の時代ですので，毎日休まず行きました。それでも成績は振るわず，下位のグループレベルで過ごし卒業したのです。

　この時に，私は能力が極めて低いので，みんなと同じにやるとつぶれるか，前に出ずに終わることを知りました。ここでもう一度 A総論 を振り返りたいと思います。進学校だったので全員が大学に進学するので，どこか行けるところで，様々な困難があり最終的に合格したのは，近畿大学理工学部応用化学科でした。地元では無名で，私学でしたので，周りからはレベルが低いと言われ自分もそうかと思っていました。行くところは近畿大学しかなかったのです。

　ところが入ったら全然違い，大阪では知名度もあり，非常に研究レベルも高かったのです。現在では「近畿大学」は，全国的にも知れ渡りレベルも上がりました。志願者数全国トップ（2023年度志願者数のべ152,493人：大学通信調べ），理工系が強く（15学部の中で，理工系は8学部），アカデミックシアターなどの設備は抜群で，独自な取り組みが非常に多い大学です。この近大の発展の歴史と考え方と私の生き方がダブるのです。むしろ私が近大の生き方を活用したのかもしれません，卒業生だから当然ですね。一言でいうと，近大は他の大学と同じことをしていても，国公立系，関関同立などの関西私学系には，絶対に勝てないし評価されない。独自性と別路線で勝負をし続けるとのコンセプトです。私もA：みんなと同じ部分や協調性も必要だが，B：独自性で生き抜かないとつぶされる。発展しないと確信したのです。現在，私の研究や活動について評価していただき「近畿大学校友会産業経済リーダーズクラブ 東海地区リーダーズ幹事」に入れてい

ただきました。今後も近大の啓発をしていきます。

D-19 モチベーションアップ実践3
（手書き，図書・雑誌，音楽，ドラマ）

「モチベーション」についての具体実践の続きです。かなり自伝のスタイルの感じもありますが，この方が身近で分かっていただき，参考になるかなと思って書くことにいたします。具体的な思いやその行動が大切だと思うのです。

ここでは，さらに日常的にやってきたこと現在もやっていることの具体的な活動です。普段の生活に直結しており，何気ない生活の中で取り入れたり，視点を変えてとらえるだけで，「モチベーションキープ」や「モチベーションアップ」につながりすぐに効果が出るのが特徴です。参考にしていただければ大変うれしいです。特に珍しいことではありません。では見てみましょう。

■ モチベーションキープ，モチベーションアップの実践の足跡3

1 − 現状，問題点，方向性や成果などをノート（A5ルーズリーフ）に書く

これは，非常に重要で，手で書くことが大事です。E-05に書きましたが，人間はアナログ動物です。手で文字や絵，図などを書くという極めて高度で詳細な表現機能を有する動物です。AIがいくら進んだと言っても，現在では，人間そのものが，自分の意志で自分の力で物事を考え実行するには，人間そのものの能力を活用することが最も優れていると思います。つまり，思考から行動まで，自分の持っている機能や能力を活用すると，自分の力で即座にできるのです。その最も優れている機能の一つが先に書いた手書き機能です。

パソコンなどの入力端末と違い，自分の手で書くので記憶や思考や思いなどが記載でき，自分の頭にイメージを広げ記憶に残り実践につながりやすいのです。これは，量的なことも含め，A5のルーズリーフがおすすめ

です。私は，20穴リングファイルでもう15冊ぐらいはあります。さらにメールで，記録を残したり，知人に送る。これは，他に自己の状況をお知らせすることで，決意になったり，相手の方からコメントをいただき，さらにモチベーションアップにつながるのです。このようにアナログノートやメールなどデジタル文書化して，残すことで検索しやすいデータになります。知り合いにメールをすると頭の整理ができるのです。

2 — 本や雑誌をよむ。必要な情報収集から生き方まで学ぶ

よく私は雑誌や関係の本を入手し読みます。これは，Web情報と違って，非常に有益です。Webの情報はそれで非常に優れた情報システムなのですが，本や雑誌は，アナログで，じっくり自分の目や体で感じながら読み，多くの情報がまとまっています。さらに著者の生き方にふれられるし，編集のコンセプトが分かります。これが，「モチベーションコントロール」につながります。以前，佐々木常夫氏の記事（週刊東洋経済，ビジネス戦記①究極仕事術 pp.52-55，2008.8.16-23）と著書『完全版ビックツリー』を読んで感銘を受けています。

3 — 音楽情報の活用

これは，曲想はもとより歌詞が重要です。これを聞くことによりやる気が生まれ，落ち込んだ時の引き上げパワーになりさらにステップアップするのです。いろいろな曲を聴きますが，作詞，作曲の方から，アーティストの方のプロフィールは非常に参考になります。また，歌詞の意味やそこに込められている思いなどをできるだけくみ取れることができればくみ取って聴くようにしています。芸能界のグループなどにおいては，グループ構成，グループ編成などの関係などに注目すると人間関係やグループの構成の意味，コンセプトなどが少し分かり参考になることもあります。

4 — ドラマや映画など物語を見る

これは，ドラマの監督と脚本家の意図が最も重要です。この人的な流れやその付随したこと，ストーリーから最後のシーンに人生観が詰まってい

ます。

　特に参考になるのは，サスペンスドラマや事件解決型のドラマです。事件の背景や解決法の手法，人間関係，各種機器などを使った分析など様々な物語がありますが，大変参考になります。理論的，科学的，人間関係の対応の仕方や解決方法，最後のまとめが非常に参考になるのです。

　この様に，身近な生活の中に，モチベーションを高める様々な材料が埋まっているのです。主に実践したことを列記しました。それぞれの部分の実践に関することは，この本に書いてありますので参考にしていただければ幸いです。

D-20 「実現可能な夢」に向かうパワーを引き出す「魔法の言葉」

　人生を歩んでいく場合，「言葉，Keyword」は，重要な柱，パワーになります。よく使う言葉に「座右の銘」があります。この座右の銘は，歴史的な人物，著名人，成功者の方々の言葉です。この言葉を引用して使うことが多いようです。

　私の場合は，この言葉をオリジナルで作成し，「魔法の言葉」として，自分自身だけでなく，普段の授業や進級や卒業する児童・生徒の皆さんに向けて投げかけてきました。「魔法の言葉」は，「実現可能な夢」（設定した目標が，努力やチャンス，総合能力・スキルアップ，環境などで実現すること。現実になる夢）に向かうパワーを引き出し，実際に実現可能につながったと思っています。この「魔法の言葉」を列記し，簡単な説明をつけます。 D-03 の内容と併せて読んでいただくとよく分かると思います。活用してみてください。

1 「魔法の言葉3本柱」の由来

　3つの言葉は，物質にまつわる事柄です。ダイヤモンドは，炭素の同素体で結晶構造（8面体，20面体）に特徴があり，天然で最も硬い物質です。スルメイカは，イカの加工後の干物です。化学反応・化学変化は，物質が

変化する過程とその変化そのものです。この本のタイトルにもなっています。

「**ダイヤモンドを磨け！**」,「**マシュマロよりスルメイカ！**」,「**人生は化学反応・化学変化！**」。私はこの「魔法の言葉3本柱」が人生をプラスにすると確信し,使ってきました。この言葉を中心に,様々な言葉,Keywordを作ってきました。2022年度末の中津川工業高等学校電子機械科の卒業生の皆さんに「贈った魔法の言葉」の実例を次のページに示し解説したいと思います。このようなメッセージカードはこの20年ぐらい配布しています。

2　魔法の言葉3本柱（三つの言葉）の解説

A ―「ダイヤモンドを磨け！」（天然で最も硬い炭素でできている物質）

ダイヤモンドは磨き,カットすることで価値が高まる。自分の特質,よいところを伸ばし,自己開発でチャレンジしよう。鍛えれば輝き進歩する。結晶構造が強く,簡単には壊れない。強い人間になる。

B ―「マシュマロよりスルメイカ！」（硬いけど味が出る食べ物）

マシュマロは,甘い,すぐ消えてなくなる。スルメイカは,見かけは悪く硬い。しかし,すぐにはなくならない。かめばかむほど味が出る。甘い方に行かず厳しいことにチャレンジ,スルメイカのような人間関係で粘り強く生きる。

C ―「人生は化学反応・化学変化！」（人生の根源。この本のタイトルです）

人生は,化学反応である出会いや環境で大きく変化する。つまり化学変化を起こす。A＋B→C＋D＋E……様々な条件（分量,触媒,加熱,撹拌,UV照射,赤外線照射など）によりA＋B→E＋F＋Gになる。よい方,高まる方向に進み,生きる。

中津川工業高等学校 電子機械科(R科)を卒業する皆さんに贈る

「三つの言葉」☆ Key Word 2020-04〜2023-03

ご卒業おめでとうございます。自己開発で人生を切り拓いてください。

- **「ダイヤモンドを磨け!」**(自分の特質,よいところを伸ばし,自己開発でチャレンジしよう。鍛えれば輝く。)
- **「マシュマロよりスルメイカ!」**(見かけは悪くても,かめばかむほど味が出る。粘り強く生きる。)
- **「人生は化学反応・変化だ!」**(出会い,環境で,人生が大きく変化。A+B→C+D+E・・・)

H_2O

☆ インターネット:PC,タブレット,スマホなどは人生を切り開く
   機能を少しでも使いこなして,業務,学務,生活に活用
☆ Report/手書き,エネルギー・環境,ICT・IOT
☆ 理科教育,科学教育,工学教育,研究,論文
☆ 人的ネットワーク,環境ネットワークは不可能を可能に!
☆ インターネット活用は,人生をステップアップさせる!
☆ エネルギーシフト・バランス,トリプル並行処理
☆ 最新テクノロジー&実務能力,資格・免許を使う,専門職
☆ 実務,実習,技術は,人生を高める。スキルアップ!
☆ 文系,理系→理工系列の考え,行動活用,英語・外国語
☆ アクションあれば変化あり!むかつきをパワーに!エネルギー変換
☆ オリジナル・独自性と協調の並行・マルチ行動・自己開発

TypeA:
自分のスキルをそのまま生かせる仕事,
適合性マッチ
TypeB:
スキルアップ・変革
新たな能力開発
TypeC:
仕事とプライベート
区別,我慢,けじめ
TypeD:
進路変更,
スキルアップ・スイッチ

総合能力開発

○恵那エネルギー環境研究所総合 Web
 https://sites.google.com/view/ena-eco-jp/
○恵那エネルギー環境研究所:http://ena-eco.jp/
○恵那ライブ気象台:http://ena-eco.jp/VWS/wx.htm

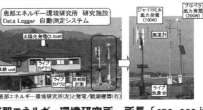

◇ソーラークッカー　◇PRIUS PHV (DLA-ZVW35)

恵那エネルギー環境研究所 研究施設
Data Logger 自動測定システム
太陽光発電(3.6kW)
恵那エネルギー環境研究所(左)と発電/観測施設(右)

恵那エネルギー環境研究所　所長〔ena-eco.jp〕
足利大学 総合研究センター 客員研究員・工学部 非常勤講師
岐阜県立中津川工業高等学校 工業科(電子機械科)常勤講師
近畿大学 校友会全国産業経済リーダーズクラブ 東海地区リーダーズ幹事　丸山晴男

3 開発した言葉, Keyword の解説

1 −「インターネット：PC, タブレット, スマホなどは人生を切り開く」

▶ インターネットは，使い方次第で不可能が可能になる。業務，学務，生活に活用していく。

2 −「Report ／手書き, ICT・IOT」

▶ 人間の最大能力の一つである手書きの素晴らしさを活用し，情報機器を使いこなし，デジ・アナのコラボレーションで生きる。

3 −「理科教育, 科学教育, 工学教育, 研究, 論文」

▶ 理科・科学・工学教育の重要性とその学びを生かす。研究は，論文などのかたちにし，まとめて活用する。

4 −「人的ネットワーク, 環境ネットワークは不可能を可能に！」

▶ 人間関係とその環境は最も重要，ネットワークを構築，活用することで大きく前進する。

5 −「インターネット活用は, 人生をステップアップさせる！」

▶ インターネットを活用した，情報は宝であり，人生を確実に向上させ夢が実現する。

6 −「エネルギーシフト・バランス, 並行・トリプル処理」

▶ 考えや行動を固定せず，シフト配分したり，同時にいくつかのことをやることで効率が高まる。

7 −「最新テクノロジー＆実務能力, 資格・免許を使う, 専門職」

▶ 最新情報の活用，やれる力，資格・免許が必要な専門職に就き，人生を楽しみながら歩んでいく。

8 ― 「実務, 実習, 技術は, 人生を高める。スキルアップ！」

▶ 実務などができること, その技術力は確実に人生を高める。そのための
スキルアップは重要だ。

9 ― 「文系, 理系 ▶ 理工系列の考え, 行動活用, 英語・外国語」

▶ どのような進路に進んでも理工系列の考えと実践で歩む。仕事, 生活に
外国語は絶対に必要だ。

10 ― 「アクションあれば変化あり！」

▶ アクションつまり, 行動すれば変化がある。待っていても何も起きない。
確実に行動することで変化し, 道が見つかる。

11 ― 「むかつきをパワーに！　エネルギー変換」

▶ 人生はむかついたり, マイナス面が多い。これをエネルギー変換しパワ
ーに変えて行動することでプラスになる。

12 ― 「オリジナル・独自性と協調の並行・マルチ行動・自己開発」

▶ 行動は, 協調路線とオリジナル・マルチ行動・自己開発のミックスで進
めると有効だ。

13 ― 「自動車 PHEV で推進」

▶ ガソリンと電気を併用する PHEV。自己充電も可能。
一つの方式にしないで, 複数の方式を活用することで人生を高めること
が可能。

14 ― 「優良増殖型細菌（細菌の増殖性：善玉菌の原理）」

▶ マイナス要因を善玉菌でプラスに変える。善玉菌をバランスよく増殖さ
せ, 免疫性を高める。

▶ふまれても水もほとんどなくても雑草は強く生き, 環境に対応して生き抜く。雑草精神で強く時代に対応して生きる。

15 ─「核融合反応で生きる（自らエネルギーを作り出す）」

▶核融合は, 原子の融合で大きなエネルギーを継続して出す。これで人生のエネルギーを作り出す。

16 「ミス, トラブルをプラスに変換」

▶ミスしたり, モノを壊したりしたら, 上回る対応をすることで改善スキルを身につけ, よりよい行動力に変換する。

　これらの言葉は, 本当に稀に会う20年以上前の教え子の方々が覚えていて, 「ダイヤモンドを磨け」は今でも思ってやっているよ, の声を聞いたとき, うれしく思い, これからの人生に生かしてくれたらと思うと同時に, 自分自身の人生の大切な言葉として使い続けたいと思っています。

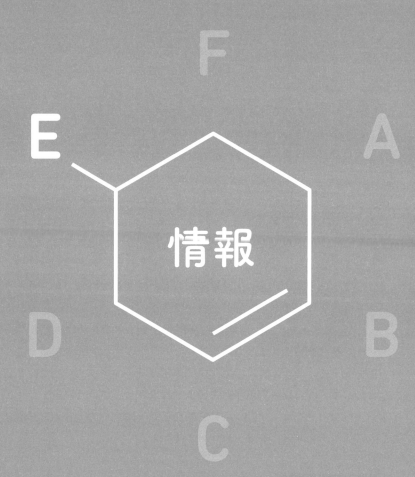

まるごと情報の Keyword：
学習，生活，人生を広げる極意，
デジ・アナの活用

情報機器，ネットワークは魔法のシステム

　ここでは，「情報」という Keyword にして，人生をどのように生きるか，様々な方法からアプローチして，仕事や生活などをスキルアップさせるこれからの時代を生きるヒントとエネルギーを与えます。

　情報ということの意味は非常に多義，広義にわたっています。情報とは，いろいろな「伝えられる内容」です。もともと伝えるという各種手法とその伝えられた内容をどのように有益なものに活用していくかが重要なのです。

　ものごとの内容を主に「伝達」という各種の手法において，やり取りされる「事象現象の事実，知識，データ，信号・記号など」の各種の事柄です。さらに，その事実や知識，内容を伝達するという行為そのものをさすこともあります。

　このように情報は非常に不確定なものも含む大きな内容とその方式であり，大きく広げ深めることのできる「魔法のエネルギーの源」なのです。「魔法のエネルギーの源」を実際に活用できるエネルギーに変換し，コントロールしながらよりよい方向に進むことをめざすのです。人間の総合能力を開発するエネルギーに活用し，人的総合スキルアップにしていくというものです。そのための情報をどのように取り扱っていくのかということを，手軽で身近なほんの少しの日常的な私の実践した考えとその方法を示し，活用していただければと思い書きました。

Subtitle Keyword

E-01　情報活用で人生を切り開く，その極意を伝授します

E-02　情報機器活用のポイント情報リテラシーとセキュリティー

E-03　情報機器を学習，生活に活用する極意はこれだ

E-01 情報活用で人生を切り開く，その極意を伝授します

前回情報の集め方の一つの方法について示しました。この章では，情報収集の方法で，簡単で有効的な手法を示します。どうしたら，情報が収集できるのでしょうか。これは，デジタルデータでも印刷物などアナログデータも同様です。ではどうしたらいいのでしょうか。これらの考え方と実際の方法のヒントを提供します。

印刷物などアナログデータは，見えるようにしておくこと，デジタルデータは検索しやすいように必ず日付を入れる（もちろんfileには出ますが，更新するといつのものか分からなくなります）。したがって，元ファイルなど，作成した年月日などを入れておくと後で探しやすくなります。メールなどの添付ファイル名を，報告書とか計画基本案などと書いてメールに添付して送る例がよくあります。ファイル名に内容Keywordがないと分からなくなります。○○の報告書〔例：エネルギー環境教育（ソーラークッカー）の報告書2，2022-04-07〕

頭に番号や年度を入れる場合もありますし，末尾に入れる場合もあります。またファイル名が長すぎると1回で見られないこともあるので，適度な長さ，最初にKeywordを必ず入れるとよいでしょう。この観点は，専門図書や専門サイトが多くありますので参考にして，自分なりの分かりやす

いシステムや他の人も分かりやすいファイル名がよいと思います。Keywordを調べるということは、非常に重要で、学習や仕事、生活に大きく役立つだけでなく、「調べる力」「検索能力」は生きる柱となる重要な要素です。昔は通常の生活では、調べると言ったら、図書館ぐらいです。関係の情報であれば、自宅などの本や雑誌も少しはあったかもしれません。しかし、これは、リアルタイムではなく、少し前の情報です。新聞が一番早く、記録情報になりますので、今でも非常に有効な情報源です。

　私の場合は、子供のころ電気製品に非常に興味があり、電気屋さんに行ってカタログをもらってきたり、直接メーカーにはがきや手紙を送って、電気屋さんにあるような総合カタログや単品でも詳しいカタログを送ってもらったのを覚えています。昔から、情報集めが好きで、今でも昔からの相当量の情報資料があります。

　大学などについては、A総論、D生活のところに書きましたが、工学系の教員の免許（理科・工業）の両方が取得できる大学を、受験雑誌などで調べました。当時、50年以上前では、インターネットはもちろんなく、タイムリーな情報や目的に応じた情報を得ることは非常に困難でした。それを調べるためには、月刊雑誌やチラシ・広告のようなものだったような気がします。

　情報というと常に新しいものが有益で重要で、古いものはもういらないと思っている人も多いですし、捨てることが多いかと思います。よく考えてみるとそうではありません。歴史関係の研究や様々な業務、学習には歴代の資料や情報が必要です。

　私の場合、高等学校工業科で機械系の授業を担当しているのですが、学生時代の「機械概論」の教科書や、当時作成した「機械製図」の図面が出てきて、授業に活用したり、自分の書いた製図は、生徒に見せたりして授業に活用しています。つまり必要な情報を捨てずにいつまでも使えるように保存しておくことは非常に重要だと思うのです。デジタル資料は、物理的な体積容量は取りません。自宅のサーバーやcloud、DVDなどのメディアに保存しておけば、それほど体積もとらず格納、利用が可能です。古いと思う情報も必要と思われるならばとっておき、随時活用することは重要

だと思うのです。

　このように調べるということは，新たな知識を得るだけでなく，各種の情報を統括し共有や分析をして，新しい知見の開発につながるのです。これは，学習や生活，もちろん仕事も同様ですが非常に重要な事柄ですし，記憶に頼りがちですが，その場で調べ方を知っており，速く確実に複数の情報を得て分析できることが重要なのです。この情報をいかに収集し活用していくのか，学びや仕事，生活に生かしていくのかで人生が大きく変化していくことは，私自身が大きく体験しており現在も実感しています。

　では，情報収集，調べる方法やポイントを列記します。もちろんありふれたことですので，特に新しいことはないのかもしれません。但し，粘り強く，複数の方法を組み合わせ，時期を見ながら新しいものだけでなく古いものも調べ，今後の方向を推定することにも活用しています。現在，私のやっている方法，調べ方のポイントの一端を列記します。

1 インターネットシステムで調査（もう一度振り返ってみましょう）

　　1）検索エンジン（Keyword，関係サイトリンク，指定ページなど）
　　　検索して調べる場合：Google・Yahoo・Bing・ChatGPT・BingAI
　　2）公式スタイルのWebページ（行政，学校，企業など各種）
　　3）関連リンクのページなど各種

　これらの調べたい情報を必ず3ヵ所以上の場所から調べて比較する。1つの調べた情報で判断しないということが重要で，複数の情報を集めて比較分析して，最終的な結論を出すのですが，1つに決めず，第1候補，第2候補，第3候補などと複数の方法を取得しておくことが重要なのです。

2 手元にある新聞，雑誌，図書などで調査

　手元にあるというのが重要で，外部に出かけるのではなく，調べたいときにその場で瞬時に，オフィス，研究室，自宅などその場にあるもので調べるというものです。そのためにも，アナログ資料，デジタル資料を格納

しておいて，すぐに取り出し活用できる環境が必要です。

3 図書館など情報センターにて調査

これは，出かける時間さえあれば，非常にしっかり調べることができます。特に，図書，雑誌，各種文献などのアナログ情報を中心に調べ，必要に応じて本を借りたり，コピーすることも可能です。

4 人や各種の場所に問い合わせ

人に聞く場合は，事前に人的ネットワークを構築しておくことが必要です。親族，友人はもとより，いわゆる「知り合い」の方々とのおつきあい，学校や仕事の関係なども含め重要です。その場で回答も得られますし，相談ということで各種の新しい考えや解決方法も生まれます。いわゆるカウンセラー，コンサルタントなど，対応のプロに相談することもできます。

一方，各種行政，企業などでは，「お客様相談センター」などがあり，これを利用することも重要な情報収集です。つまり，ありとあらゆるところで情報を得ることができます。

5 現場に行く，出かける，具体物を入手

調べたい内容を求めて，「外に出る」「モノを入手する：有形物，無形物」ことが重要だと思います。これは，外に出ると，いろいろな風景から，人の動き，車や電車などの移動，現地での情報など各種得ることができます。また，モノを入手するのも，インターネットを活用すれば，有形物，無形物も入手することができます。

さらに私は，現地や業者の方などに，その場所，その製品などに関わることを聞くことにしています。現場の状況がよく分かります。

まだ，いくつもの情報収集の方法があります。これを活用する手法はどんどん進化しています。その時代に応じて従来の方法から新方法までを組み合わせるのです。情報に関して最も重要な事項は「コミュニケーション能力」だと思います。その基盤は，人的構築能力でその力をつけることが重要です。

E-02 情報機器活用のポイント
情報リテラシーとセキュリティー

理科や工学など理工系科目には，検索やデータ処理は，最も重要な実務内容です。インターネットが個人的レベルで活用できるようになりました。これは，研究・学習業務だけでなく，普段の生活の中にたくさんあります。この基盤となるのは，パソコン，スマホ，タブレットなどの情報機器と情報活用能力を基盤とする情報リテラシーです。

1 パソコンは，パーソナルコンピュータ（personal computer）の略称

パーソナルコンピュータは，個人向けの大きさ，性能，価格を持ち，個人でも入手できるコンピュータです。それでも1981年頃私が最初に入手した，FM－8と周辺機器（ディスプレイ，プリンター，5インチドライブ，外部記憶装置など）のセットは，70万～80万円ほどかかったと思います。また，ノートパソコンは，まだなかったので，ラップトップパソコン当時，1989年頃，エプソンラップトップPC－386 LS－H20が60万円ぐらいしました。それを思えば，現在は安く，中古がいくらでもあるので，複数持つことも容易です。昔は，形もデスクトップ型とノート型ぐらいでした。ネットワークもなく，スタンドアロン（stand-alone）でした。ところが最近は，パソコンも様々なタイプがあります。それから，タブレット，スマートフォンも各種あります。これを入手し，ネットワーク接続（インターネット活用）できるようにする情報環境を整えるのです。

ここで，情報機器を技術史の側面でとらえますと，確実に大きく進化し，価格も安価になり，非常に入手しやすくなっています。しかし，それ以上に使う側のスキルが高まっていないような気がします。したがってもっともっと情報機器を使いこなせるように使う側の技能を高める必要があるのです。

2 情報リテラシー（information literacy）について

リテラシー（literacy）は，読み書きの能力です。情報リテラシーとは，

世の中にあふれている様々な情報を，適切に活用できる基礎的な能力のことです。つまり情報を自己の目的に適合するように使用できる能力のことです。ここで，「目的に適合」するということが重要で，情報を目的に応じた使い方ができるスキル（skill）を身につけ，実際の生活，学習，仕事などに活用して，どんどん目的を達成させていく必要があるのです。この能力を高めることで，短時間で高密度，多様な情報を収集し，活用でき「実現可能な夢」に近づくことができるのです。

3 情報に関するハード，ソフトの活用は，不可能を可能にする

　PCおよびそのネットワークシステムは，不可能を可能にするし，その使い方次第で，各種の課題を解決する「魔法のツール」だと思うのです。このスキルをいかに高め，人生に生かすかで，大きく世の中は変わっていくのです。そのために，ハードやソフトなどを活用できる総合的な情報活用能力を高め，適切に深く日常的に活用することが大切なのです。

4 情報セキュリティーの重要性

　情報セキュリティーという言葉は，一般的には，情報の機密性，完全性，可用性（Availability：システムが継続して稼働できる能力）を確保することと定義されています。情報セキュリティーに関する認識と各種の事案の対策や対応する力をつけていく必要があると強く思います。

　2000年頃，Microsoftの研修で，当時のアメリカのシアトル本社での研修に参加させていただきました。現地で専門家が「日本人は非常にセキュリティーが甘い。PCなど情報端末を使うとき，家などにカギをかけずに，いつでも入ってこられる状況と同じだ。気をつけなさい，スキルを上げなさい」との指導を受け非常に強く印象に残っています。Microsoftでの研修で受けた，様々な情報に関する事件などが現在起きているのです。

E-03 情報機器を学習, 生活に活用する極意はこれだ

身近な情報機器を活用して, 学習や生活に利用する. これはありきたりな言葉ですが……どれだけ, 情報機器を活用しているのか, どんな場面で, どんな使い方をしているのか, どんな有効性・メリットがあったか確かめてみましょう.

活用の仕方のKeywordは,「いつでもどこでもICT」「デジタルとアナログとのコラボレーション・シフトシステム」「データの共有化」「cloudシステム」「Web連動」などです.

1 情報機器はどれくらい必要か, いつでもどこでも活用するために

情報機器は, 複数持つとよい. つまり, 家庭や外部デスクでは, デスクトップPCもしくは, ノートPCは, 家庭と外部デスクに1台. 家庭などでは画面の大きい安定した, デスクトップPCやディスプレイ一体型PCがよいと思います. 画面も21インチ以上. 実際この原稿のこのページは, ディスプレイ一体型PC (25インチ) で書いています. 私の机の上には, 中央がメインPC, 右側にネットワーク接続液晶TV2台 (主にテレビ視聴用), 左にはサブ1のノートPC (補助的活用), 左サイドにはサブ2ノートPCなどの5台の機器が同時稼働できるようにしています. データは, すべてcloudデータ共有, メールなども各種のWebメールを活用します. アカウントを取得活用すれば, どのPCも同じ環境でどこでも使えます. あと, 移動用にバッグ1台や車の中に1台のノートパソコンがあります. いつでもどこでもネットワーク環境が重要で, これらはすべて中古で非常に安価です.

2 パソコンを複数所有するために

今までにも書いてきましたが, パソコンを含め情報端末は数が多い方が便利です. パソコンが手元に複数あれば短時間で多様なことが効率よくできます. 現在「恵那エネルギー環境研究所」の計測PCは, C-02, C-03

のところに書きましたが，5つの計測用パソコンを同時に稼働させ，縦列に5台並べています。上から順番に，❶太陽熱　❷ジャイロミル型風力　❸恵那ライブ気象台，放射線計測　❹太陽光発電　❺プロペラ型風力　以上の6システムを5台で動かしています。机の上には，上記の1のところに書きましたが，正面にメインPC，右にネットワークテレビ，左PC映像や音楽，各種検証用。これらは，Windows系で。左わきに，Macがあります。また移動用に2，3台のPCがあります。それぞれにセキュリティーソフトなどで対策をしておくことは，非常に重要で必須です。このようにどこでも情報端末を活用できる環境が重要で，同時に有線LAN，無線LANなどのネットワークシステムの強化が必要になってきます。

　ここでひょっとしたら疑問に思うことがあるかもしれません。例えば，こんなに入手すればお金がかかる。データはどうするのか，一つ一つ違ってくるのではないか……などいろいろありますね。この2点についてお答えします。もう25年ぐらい前から，新品のパソコンは買っていません。中古ばかりで主にオークションで買うのです。デスクトップは1万円前後ですし，ノートパソコンも2，3万円あれば十分使用に耐えうるパソコンが入手できます。このような購入方法を用いれば，資金の面は何とかなります。データについてですが，各種のセキュリティーシステムを構築し，メールも含めてすべて，Webメールタイプ，クラウドcloudを活用しています。このようなシステムですと，いつでもどこからでもアクセスが可能で，データも同期一元化を図ることができて非常に便利です。それぞれの詳細は，この E情報 の該当箇所に書きましたのでご覧ください。

E-04　インターネット・ネットワークは，人生変化の魔法だ

　私が自分で入手し活用した，最初のパソコンは，Fujitsu MICRO 8（FM-8）（1981年）です。その後各種のパソコンを使いながら（個人入手PCは，50台以上）今日まできています。インターネットを活用して，本年度（2023年度）で，28年ほどたちます。どのようにインターネットを活用したらよいか，ど

のような活用の仕方があるかを独自路線で示したいと思います。インター
ネットは，人生を大きく変化させる，魔法のシステムなのです。

1 インターネットでどんなことができるか

　各個人や活用する場所において，インターネット環境，情報環境によっ
ても違いますが，おおむね以下のようです。各種情報調査，連絡，相互情
報交流，各種作成など，デジタル，仮想，理論化も含め，いろいろなこと
ができるように思えます。普段の生活から仕事など人間が生きていくため
の支援をする魔法のツールなのです。近年は，AIタイプの各種システム
が出現し，その利活用は無限に広がっているようにも見えます。

2 インターネットの基盤：検索，調査

　 E情報 の各箇所に書いてきましたが，インターネットがない時代で，
調べるには，各種印刷物（図書，雑誌，新聞など）ぐらいしかありませんで
した。各種製品であれば，カタログを集める，カタログを取り寄せる，図
書館に行く，新聞をさがすなど，その都度，必死で情報を集める必要があ
りました。
　しかし，現在はどうでしょう。情報の内容が100％正確，100％適合し
ているとは限りません。ところが，短時間で多様な情報を的確に，かなり
強く集めることができます。さらに，デジタル化させて保存しておくこと
も可能です。

3 必要な情報を集め活用するために

　各自の必要な情報や必要な内容を集めるためには，情報検索に関する，
技術・技能が必要です。近年では，インターネットに関する資格・免許も
できています。情報収集のポイントは以下です。

ポイント1 — 複数の検索エンジンで調べる

　このことは， D-08 ， E01 に記載しました。複数での検索が必須です。
　最低3つの検索エンジンで調べることです。かなり同じものを見つけて

くるのですが，それでもOKです。

ポイント2 - 検索サイトに入れる言葉

私が自分のサイトを立ち上げたころは，各サイトにお願いして検索に引っかかるようにしてもらったことを覚えています。なかなか，登録してもらえないという感じです。しかし，今は違います，いわゆる「言葉検索」が優れている時代なので，うまく言葉を入れるだけで，いくらでも拾ってきます。その言葉検索，AIタイプの検索でも同様ですが，どのようなKeywordを活用するかが最も重要なのです。

ポイント3 - リンクをたどる

近年は，どのWebページもリンク関係が優れており，各種探したサイトからどんどん見つけていく訳です。上記の3ポイントは，別に新しいものでもなく，皆さんが通常やっていることだと思いますが，これを少し深めるだけで様相が変わります。つまり，なれてくる，粘り強くやる，頭を働かせて調べる，比較して調べることで，短時間で，的確に，多くの情報が入ってくるのです。

AIタイプの（専門用語を入れる）各種システムが出てきましたが，それぞれのシステムには，それぞれの得意があるようです。用語などの個別事案を検索する，人物などを検索する，文章を作成する，画像を探すなど実に様々で，適合する方法を複数組み合わせ，統括して利用することが必要だと思います。

E-05 デジタル・アナログのコラボを 工学的視点でとらえてみよう

「デジアナ」や「アナデジ」のコラボレーションを工学的視点でとらえ，その有効性をお話しします。 B-14 に書いた「デジタル・アナログ」のコラボレーションでステップアップと併せて読んでいただくとより分かりやすいです。デジは，デジタル（digital）の略語で，すべてのデータを0か1

で処理します。アナログ（analog）は，連続した量です。

　さあ，デジタルとアナログについてもう少し考えてみましょう。デジタルとアナログをグラフで表現すると，デジタルは矩形波（square wave）カクカクとした線で物質やシステムなどの状態を数字，文字などの記号などで表現します。時計でいうと，数字で表すデジタル時計です。一方，アナログは正弦波（sine wave）の滑らかな線で表現されます。つまり，アナログは物質や各システムなどの状態を連続的に変化する物質量で表現するということになります。

　生活の中では，混在していますし，はっきり区別できないものもあります。これを人間の表現活動に照らし合わせると，おおむね次のように大別できるのではないでしょうか。デジタルはPCやタブレットなど，文字入力などをKey Bordなどの入力デバイス（パソコンなどの情報端末に接続して使う装置の総称）にまかせること。表示は，画面ディスプレイが基本です。多くの作業を機器であるデバイスに任せるというスタイルです。

　一方アナログは，ノートに自分の手で書く，いわゆる「手書き」です。人間の持っている最も高機能であり，他の動物などにはまねできない非常に優れた表現方法です。これについては，B-14 にも書いてあります。

　これを学習関係に置き換えてみると次の様な考えが出てきます。現在小学校から，PCやタブレットを使う教育がどんどん進んでいます。この原稿を書いている2021年度ぐらいからは「新型コロナウイルス」関係で，この2，3年急激にデジタル利用やオンライン学習が増えてきました。小学生の1年生から，普段の授業にPCやタブレットを活用していくという訳です。スマホも小学校から使っている現実があります。漢字や計算などの学習活動においても，タブレットなどのいわゆるデジタルを使うのがよいとの風潮も出てきています。さらに，読書においても電子ブック，デジタル画像を読むというスタイルです。

　さて，小学校低学年から，中学校，高等学校，大学，社会人までこれらのデジタルを主流とした学習が本当によいのでしょうか。私は，40年以上，小学生，中学生，高校生の教育を実践してきました。その中で分かったこ

とは，人間の基本は，アナログ動物ということです。アナログを主体として，超高機能の各種センサー，対応力，考え・判断力，微妙な調整ができる素晴らしい動物が人間だと思うのです。

したがって，人間の記憶や認識は，人間そのものが行うことが効果的であり，機器に支援してもらうのはよいと思うのですが，主体は人間そのものでないといけないと強く思うのです。その最も優れた機能が，自分の手や体を使って書くということだと思うのです。

次にアナログの重要な点をあげてみましょう。

1) 手書きにすると漢字や言葉のつながりなどが体で覚えられる。柔軟な考えが出る。新たな発想が生まれやすい。
2) 紙の本をじっくり読むことで深くとらえる。本はバックライトなどの発光体がない。デジタルブックは画像として認識することがある。
3) 手書きは，自分の考えがそこに出てくる。柔軟な考えが生まれやすい。

まだありますが，以上の理由で，手書きが必要だと思うのです。

具体的には，文字を覚える，漢字を覚える，というのは，手で書かないとなかなかできにくいのではないのでしょうか。特に，日本語は，漢字やひらがな，カタカナなどが混在する世界でもまれにみる特殊な言語です。パソコン，タブレット，スマートフォンなども，すべて，ローマ字などで書いて，「変換」しているのです。この変換を，機器にやらせてしまっているので覚えられない，とらえられないということが多いように思います。英語などのアルファベットの組み合わせの言語形態は，変換というものがないと思います。この漢字を覚え文字を書く，文章を書くという行為の基本を小学生から機器に依存してしまったらどうでしょうか。本当の記述力をつけるのは困難に思います。

では，数学や物理の数式計算，化学の化学反応式などはどうでしょうか。計算を電卓，関数電卓ですべてやらせてしまう，化学反応式を結果から選

ぶということを主体にしたら，本当の計算の道筋やいきさつなどがはっきりつかめないと思うのです。もちろんある程度理解してしまってから，計算電卓を活用するということならば理解はできます。

　今まで授業を小学校，中学校，高等学校とやってきて，アナログの重要性を強く感じています。何度も書いていますが，読書も同様で，やはりアナログの本，冊子をじっくり読むということは必須です。もちろんインターネット情報，電子ブックを読むことが増えてはきましたが，これらのデジタルデータは画像としてとらえる子供たちが多く，いわゆる「読書」にならない側面の子供もいるように思います。本や雑誌などは，紙類に印刷してあります。したがって，この印刷物は文字，記号，図などとしてしっかりと目に入ってくると思います。本自体に発光機能，バックライト機能がある訳でもないので，ある程度の照度のあるところで，しっかりと認識して読んでいく訳です。

　ところが，パソコンやタブレット，スマートフォンなどの画面は，同じ本，電子ブックであっても，画面のバックライトにより映し出されています（以前といっても昭和の時代のノートパソコンなどは，バックライトがないものも存在していました）。そうしますと，その画面を見ると，文字を見ている，読んでいるというより，一つの画像のようにとらえてしまうことが多いような気がします。もちろん差がない人もあると思いますが，私の場合は，どうしても画像としてとらえじっくりと読まないことも多いのです。したがって，各種原稿やパソコンで作成したものは，必ず何回かプリントアウトして読んだり，編集したり，間違いなどを見つけ修正する場合もプリントアウトして処理をしています。論文を書いた場合などは，細部まで完全に修正する必要があります。

　また，いろいろな学習は，人間の五感で学習します。特に，目や手は重要なポイントであり，文字などを覚えたり書いたりするのは手であり，この手が学習しているのです。それをパソコンなどの機器や関連デバイスに任せてしまうと，「体で覚える」ということができません。学習の基盤を作る小学校教育においては絶対に手書きは欠かせないと思っています。

　中学校，高等学校，大学，社会人などに進むにおいて，アナログとデジ

タルのコラボレーションや融合化が必要になってきます。スケジュールなどは，手帳とスマートフォンやPCのデジタルと両方記録し，コラボレーションを図っていくということです。つまり，私の場合，スケジュールやタスクは，手帳とデジタルの併用をしています。手帳は，時間地図，やることが地図になったりその場でダイレクトに見ることができます。デジタルは，スマートフォンやPCで複数のシステムを同期させ入力し，いつでもどこでも見たり，アラーム機能などで知らせてくれます。つまり，アナログとデジタルの良さを両方活用し，融合化させていつでもどこでも活用できる環境とその行動が大切なのです。

E-06 パソコンは不思議で不可能を可能にする 魔法のツール

　パソコンは，ソフトがなければただの箱から，「データがなければただの置物」つまり，パソコンは，データがなかったり，活用できなければ「ただの置物」にしかならない，という意味です。現在では，インターネット活用とデータをどこに保存していくか，どのようなシステムでデータ活用していくかが大きなカギです。

　以前は，パソコンは「スタンドアロン」（ネットワークにつながっていない単独のパソコン）ばかりでした。したがって，1台1台にソフトウェア，特にアプリケーションソフトウェアを入れて動かしていました。私が最初に手に入れたパソコンは，FM－8（FUJITSU MICRO 8）（1981年）です。データは，カセットテープレコーダーに入れていました。その後，5インチFDD（フロッピー・ディスク・ドライブ）を購入し，さらに，3.5インチFDDを入手し，MO（光磁気ディスク），CD，DVD……と活用してきました。一方外部メモリとして，コンパクトフラッシュ，SDカード，ミニSDカード，マイクロSDカード，スマートメディア，XDピクチャーカード，メモリスティック，USBメモリなど非常に多く活用してきました。特によく使った，3.5インチのフロッピーディスク：FDD（1.44MG）からCD（650MB）で，

約450倍。DVD（4.7GB = 4700MB）で，約7倍ぐらいです。MO（光磁気ディスク：1.3G）が非常に便利でしたが，現在生産停止になり残念です。

　一方，各種データ活用の側面から考えてみます。割と高解像度で撮った写真などのデジタルデータを使った文書ファイルや，パワーポイントなどのプレゼンテーションファイル，各種動画ファイルなどは，とてもFDDには入りません。最低DVDが必要です。これを有効に使おうとすると個別のメディアでは対応できません。そこで，データをどのように保存するのかが重要であり，今までのメディアは，基本的にスタンドアロンとして使うことを前提にしている保存システムです。もちろんネットワークパソコンでも使えるのですが限界があります。

　その後，パソコンがネットワーク化され，いわゆる有線LANがはじまったころから大きく保存システムが変化してきました。私の場合，2010年頃から，このような外部のドライブはほとんど使わず，NAS（Network Attached Strage）：ナスを4，5台セットし，外部からアクセスできるようにしました。いわゆる簡易データサーバを構築して活用しました。どのパソコンからでもアクセスはできるので大変便利でした。

　このころから，各種メモリ（USBメモリ）などを持ち歩いたり，パソコンにUSBメモリを差し込んだりすることはなくなりました。そこで，インターネット環境があればどこからでも快適にアクセスできる，オンラインストレージとして，ジャストシステムのInternet DiskとNTTコミュニケーションズのMy Pocketを使っていました。それから次第に，クラウドcloudというシステムという言葉がどんどん聞かれるようになり，オンラインストレージが進化し，より便利であることや他との連動や共有できるシステムがあることを知りました。最初に利用したのが当時は英語版のDropboxでした。その後日本語版になり，様々なcloudシステムを使うようになりました。以下に私が活用しているデータに関するオンラインストレージやその関連システムを列記します。

- One Drive　・Google Drive　・Dropbox　・Box　・iCloud
- Amazon Drive／Amazon Photos　・CamScanner　・Evernote

• Acobat DC

E-07 物事を流れ図, ブロック図, グラフ, 表, 画像タイプで表現

人間が物事を表現するには，❶文字や絵などの記述表現　❷声などによる音声表現　❸立体物や作品などによる物質表現　❹PC等を活用したデジタル表現などが存在すると思います。その中でも古くから活用され，最も人間機能を有効に発揮できる表現の一つが❶の記述表現だと思います。それをどのように表現するか，最も使われているのが文章表現です。その他に有効な方法があります。それは図タイプで表現することです。その有効性と不思議な表現方法に迫ってみましょう。

　いろいろな事柄を表現するには，文章や箇条書きなどの文字であらわすことが多いのです。文字，文章表現は，最も古くから人間機能を使った表現です。だからこそ，昔から発展し今最も使われ，しかも，各国に特有の言語がそれぞれ存在しているのです。この本に書いている内容も文章として文字で書いています。基本は文章で書くことが大事だということで，小学校から，日記や生活ノートなどの形で文章を書いてきました。特に，日本語は基本が縦書きということで，400文字（縦20文字×横20行）の原稿用紙を主体として，縦書きの原稿スタイルが多いのです。ところが，だんだん学年が上がるにつれて，横書きが主体となります。学校の教科書などでも，縦書きは，国語関係や道徳関係などのごく一部で，あとはすべて横書きです。

　横書きであっても，多くは文章で表現する場合が非常に多いと思います。ところがここで少し考えてみましょう。ただの横書きだけでなく，これを理工系列によく用いられる手法の「流れ図（フローチャート）」や「ブロック図」で表したらもっと分かりやすく，情報活用が進み，仕事や生活に役立ち，実現可能な計画も立てやすいのではないかということです。

　即ち，文章は，たとえ速読であっても文章を読んで理解するということ

ですが，流れ図（フローチャート）やブロック図などの図を取り入れた表現は，p49の B-08-1 ，p106の C-11-1 に示しました。見てすぐ分かったり，読んでもすぐに理解できます。ものごとを時間軸とか重要度とか内容カテゴリー，その流れや関連性がよく分かるのです。

　さて，同じ内容を文章か図を取り入れて表現するのか，どちらが手間で時間がかかるのでしょうか？　これは，各個人差や思考，活用のしくみなどにより違ってきますが，私の実践・経験や多くの生徒などを見てきて感じることは，図を取り入れた表現の方が確実に時間と手間，さらに思考力を要するということです。そんなに時間や手間，思考力が必要になるのならば，そのまま文章か，箇条書きなどの「文字」主体で書けばよいと思う方も多いのではないでしょうか。

　ところが，ちょっと考えてみてください。こんなに苦労をするならば，その代わりのメリットがあるのではないかということです。では，どんなメリットがあるのでしょう。それは，先にも書きましたが，時間軸や内容の関連などが地図のように表現でき，内容が深く関連も分かり，非常に質が高く様々な事柄が表現可能で活用できるためです。

　では，この「図」を中心として，普段表現するには，実際に，手書きかPCなどのデジタルかということですが，どうでしょうか。私がやっている実践においてですが，A5のルーズリーフに表現すると，圧倒的に，手書きが早く柔軟に表現できます。また，手で書くことにより具体的な活動や内容がハッキリしたり，関連付けられ，より利用度の高い表現になるのです。必要に応じて，デジタル変換して保存・活用したり，新たに手書きの部分をデジタル化で，パワーポイントなどで作成する。ワードで作成するなどしています。

　さらに，図，マークタイプなどは，一つの図でその内容を示すことができ今では，世界中で活用されています。つまり，文章のように読まなくてもダイレクトにとらえることができるのです。もちろん文章も，単語だけ拾っていけばおおむね理解できるのですが，図，マークは，国を問わず，誰でも瞬時にその内容をとらえることができるのです。それは，人間が最も優れた機能の「視覚」を持っており，目から入る機能はその最高のセン

サーだからです。つまり，表現する大切な方法は，手書きによる文章，図などで表現し，さらにデジタルデータ化したり，デジタル・アナログのコラボをすることです。

E-08 情報の共有化と結合化で，新規情報資源を生み出し拡大する

　新しい考えは，情報共有と結合，それを活用することで生まれます。よく「考えよ」とか「考えてやってみよう」とか学校教育だけでなく，普段の生活にも使っています。ところが，考えの基盤になる情報や知識がなかったら生まれないのです。その情報を共有化したり結合させたり，組み合わせることで新しい考えや方法が生まれるのです。考えや活動の基盤のないところでは，その行動がとれないのです。さらに，1つの情報より複数の情報を収集して，比較・検討・分析し，共有化や結合化などをすることでより有効的な質の高い考えを生み出すことができると考えています。

　学校の授業科目を考えてみましょう。小学校の場合は，基礎的な学力，学習の仕方の基盤を学ぶので，それぞれの科目にあまり共有化という考えはないのかもしれません。私が小学校で授業をしていた経験では，小学校「1，2年」の生活科が，理科と社会の学習内容との共有化が見られます。
　例を示しましょう。小学校1，2年において，理科と社会は，1991年度（H3年度）までありました。ところが，新規に「生活科」が生まれ現在に至っています。生活科の授業は，理科関係につながる側面として「自分とのかかわり方」，社会関係の側面として「自分と社会（人々や地域）とのかかわり方」となっています。ここで生活科を理科との関連でとらえてみましょう。「生活科」は，「理科の前段階の教科」とか「理科」とは別な教科など様々な見解があるかと思います。重要なのは「学習指導要領」を遵守し，「教科書を活用」，あとは授業者がいかに教材研究し，児童を伸ばすかということです。この授業を実践するのは，小学校教員免許を所持している教員です。したがって，授業をする教員のとらえで，授業の内容が変化し，

児童へ大きく影響を及ぼすのです。これは，どの様な場面でも同じことなのですが……。

　実際私が授業を実践してみて，「生活科」の自然とのかかわりの内容は，理科の生物分野との関連で「植物」「動物」をとらえると非常に有効なのです。ここで重要なのは，児童・生徒・学生など授業を受ける側は一つです。授業には多くの科目があり，授業者もそれぞれの科目を教える教員がいます。授業を受ける児童に対して，様々な科目の内容を統括・共有したり，活用したりする力を身につけさせたり，提案することが非常に重要なのです。学習の面白さが相乗され，短期間で多くの情報が得られ，さらに学習の深まりにつながるからです。

　これらを考えたとき，この本の様々な場面で書いてきた事例の通り，情報の共有化と結合化，活用が重要だと思うのです。今まで，小学校，中学校，高等学校，大学まで，授業担当した科目，実践するときに研究として取り扱った科目は，以下です。

E 情報
E-08　情報の共有化と結合化で，新規情報資源を生み出し拡大する

> 小学校（5校）：小学校全科目，（理科専科も経験）
> 中学校（5校）：理科，技術科，
> 高等学校：理科（4校）〔科学と人間生活，物理系（物理基礎・物理），化学系（化学基礎，化学），生物系（生物基礎・生物）〕
> 工業科（1校）：〔情報技術基礎，機械工作，機械設計，電気基礎，電気回路〕，足利大学：自然エネルギー特別講義（A：自然エネルギーシステム編，B：気象＆研究システム編，C：工学教育・キャリア教育編）

　これらの科目には，それぞれ共有化の要素があります。学術論文にてその内容をまとめて発表しています。1，2の事例を示します。中学校「理科」と「技術」の材料（木材，金属，プラスチック）の扱いは共有しています。工業科の「機械工作」は「化学」と共有しています。「機械設計」は「物理」と共有しています。このように，学校の教科でこれだけ多くの共有事項があります。それぞれの詳細は， B-04 ， B-06 にも書いてきましたし，後述の論文記載サイト関連から閲覧可能です。もう一度振り返ってみましょう。

これを身近な情報活用の視点へ目を向けますと，非常に多くの共有点があります。情報を提供する側，情報を利用する側の双方にこの考えや方法は重要で，この本の各所にその提案事例が見られます。振り返ってご覧ください。共通の Keyword は，共有化です。以下にその事例を振り返ってみましょう。

1 小学校の生活科や理科における共有化

　小学校の学習は，学年の積み上げと考えられています。学校内部も教科ではなく学年として担当します。ところが，これを教科という視点で見るとその共有化をつかむことができます。ここでは生活科の中でも理科の関係と思われる学習内容（生物：生き物，地学：天気など）を取り上げると理科との共有化ができます。つまり，小学校 1，2 年の生活科の授業の経験を 3 年生以上の理科の学習や実験・観察と重ね合わすと大きな共通点があるのです。さらに，現行の生活科 1，2 年と小学校理科の 3 年から 6 年までを各領域（物理，化学，生物，地学）等の視点でとらえると大きな共通点があることが分かります。

　学校の教員は，特別でない限り，1，2 年の授業と 6 年生の授業を同時にやることはまずないのですが，私の場合「教務主任」で理科専科をやっていたので，同時にやることがありましたので，よく分かります。

　最も分かりやすい例は，「生物」領域です。生活科で植物を栽培します。その後 3 年生の季節の変化で植物を取り扱い，6 年生までつながっています。いわゆる生物物語として，種まき，土壌づくりから，植物の生長，種を取るところまでを取り扱えば，学習内容が連続していることが分かります。

2 中学校の理科と技術科の共有化

　 B授業 ： B-04 ， B-05 ， B-06 にその関連について書いてきました。多くの共通点があり，共有化が可能です。 F-01 【査読論文】5) 6) に記載しています。

3 中学校から高等学校への連結共有化

B授業：**B-06**，**B-07**，**B-08** を中心に書いてきました。普通科の理科の科目や工業科の内容も共有化が可能です。**F-01**【査読論文】1）2）3）4）。

4 高等学校から大学への連結共有化

B授業：**B-06**，**B-07**，**B-08** を中心に書いてきました。高等学校工業科の科目は直接大学に連結しています。**F-01**【査読論文】1）2）3）に記載しています。

5 小学校，中学校，高等学校，大学までの流れと共有化

B授業：**B-07**，**B-08**，**B-17** に関連があります。小学校理科から大学専門科目までの流れが見えます。**F-01**【査読論文】1）～6）に記載があります。

6 情報活用能力の共有化

　現在，小学校からタブレットやパソコンなどの情報機器を活用しています。場合によっては，スマートフォンなどの携帯電話を使う場合もあるでしょう。

　これらを，機器の使い方を学ぶのではなく，情報の取得や情報の活用を学ぶというように置き換えると，情報活用能力の共有化を図ることができます。

　これらの私が実践してきたことなので学校教育に限定していますが，生活や仕事の場面でも，共有化と結合化をすることにより，新たな発想や新規の情報資源を生み出すことになるのです。その資源は実務に活用できる宝です。

E-09 本, 雑誌, 新聞などのアナログ情報は 脳を活性化させる

今, デジタルが進んでいます。本の関係も, 印刷した本から, いわゆる電子ブックと言われるようなデジタル本もたくさん出ています。さて, アナログ本などのアナログ情報とデジタル本などのデジタル情報と全く同じでしょうか。個人差もあるのですが, この違いを再度示したいと思います。

私がデジタル記述などを使い始めたのは, いわゆるワープロ（ワードプロセッサ）で, Canon *a* 335（1988年）という, モノクロブラウン管のワープロ専用機でした。この当時, 非常に多くのメーカーがワープロ専用機を出していて, ワープロの全盛期でした。また, 画面ではなく, 窓に2, 3行ぐらい表示ができるものも出ていました。すぐにパソコンのワープロソフト活用にシフトしたのです。その当時は, デジタルデータは, 文章を作るのもすごいし, 画面上で読めばよいのではないかと思っていました。

2000年頃, マイクロソフトのシアトル研修を受けたのですが, シアトルで, あと2, 3年で電子ブックを出す, というアナウンスを現地で聞きました。その通りになり現在も多くの電子ブックスタイルの本や情報がたくさんあります。これは素晴らしいことだと思います。多くの本や雑誌を持ち歩かなくてもOKで, ある程度検索もできますし, 出た当時は本も読んでみました。現在では, 雑誌：楽天マガジンを契約しています。

ところがやはり, 私にとっては, 電子ブックスタイルを主とするシステムではどうもしっくりしないことが分かってきました。前の E-05 デジタルとアナログのコラボレーションのところで書きましたが, 人間というか私がアナログ動物なので, じっくり本を読む, じっくりでなくても文字や図, 学術雑誌や論文などを見たり読んだりするには, やはり印刷物を主体としたアナログの方が適していると強く思ったのです。その要点を以下に示します。

1）アナログペーパーは, 光っていないし, 文字がくっきりなので疲

れない。読みやすい。

2) 視覚面積がパソコンやタブレット，スマートフォンなどより圧倒的に大きい。つまり，新聞をイメージしてもらうと分かるかと思うのですが，非常に広い情報に目がいきます。

3) 必要な情報を探すのが速い。もちろん限定的ではありますが，今のニュースは，テレビの番組は，社説は……などすぐに自分の目と手で探すことができます。それから，関心のあるものは，いわゆるインターネット検索で深く探していけばOKです。

4) 繰り返し読むことや後戻りすることが瞬時にできる。パソコンなどでもできるのですが，基本的には，スクロールや用語検索，ページとび……などの方法に頼るのですが，アナログの本，新聞などでは，自分の記憶などと連動させて探したり，戻ったりできます。

5) 学習などの場合は，本などのアナログ資料の方がはるかに優れている。これはいわゆる，「教科書」「問題集」などのテキスト，教材と呼ばれているものです。もちろん電子教科書もあり私もかなり授業で使ったのですが，「教科書○○ページを見てみましょう。」の方がしっかり見たり読んだりできるのです。

6) 学習のアンダーライン，チェック，答えの記入，重点マークなど手書きでそのまま記入ができるため，記録しながら学習できるし繰り返し学習できます。もちろん，学習ソフトやアプリ，インターネット情報も併用して活用することは効果的ですし，デジタルシステムだけでもかなり学習もできます。両輪ですが，やはり基本はアナログです。

まだまだいろいろありますし，個人差やとらえ方の違いもあるのでアナログが絶対よい，優位という訳でもありません。デジタルはどんどん優れた進化をしています。ただ，アナログ操作をするとき人間の脳が活性化されるのです。生活を今後も大事にしながら学習，生活をしていくという一つの考え方の提案です。

E-10 人的環境は，
　　　人生を切り開くネットワークシステムだ

　現代は情報社会であり，ICT，IoT，AI などのデジタルスタイルの情報システム，ハード，ソフト，インフラなどが整備され，今までのアナログスタイルがすべて代替えされるように思われがちです。しかし，基本は，「人的環境の構築」つまり人間関係がいかに重要かということがよく分かります。人的環境の構築が，人生を切り開くネットワークシステムになるのです。

　今，この E-10 をお読みになっている方は，小学生，中学生，高校生の皆さんでしょうか，大学などの学生さんでしょうか，社会人の方でしょうか。年齢やお仕事も様々だと思います。それぞれの人生を振り返りますと，助けられた，支援していただいた，協力してもらった……など周りの人たちに助けられて生きてきたことを，誰しも実感するかと思います。その人生が好転したときのきっかけになった時，逆境に遭遇した場合に改善したとき，失敗したときに助けられた時など必ずキーパーソン「Key Person」がおられるのです。ここで人的対応が，最も重要になってくるのです。

　これをもう少し深めますと，今やっていること，今まで積み上げてきたこと，仕事や趣味，プライベート側面で，自分の具体的な人生の方向性が新たに開発された場合に，必ずキーパーソンからのアクションや支援やきっかけがあると思います。その人（キーパーソン）に出会って様々な関係を見逃さず取り入れたりしてきたかが重要なのです。もちろん，マスコミや本などに登場する著名な方もおられるでしょう。様々な方々がおられます。私の場合，多くのキーパーソンにお世話になり協力や支援を受けることができました，直接お会いしたり，いつでも会える身近な人からメールや電話レベルの方もおられます。その中でも特に「人生をよい方向に化学変化」させた重要なキーパーソンの方が，30名以上おられます。もちろん今でもお付き合いしている方もおれば，お会いできない方，連絡が取れない方もおります。特に，今回の仕事や研究，そして，人生の方向性を決めるこ

とになった特に重要なキーパーソンの方々を少し，振り返ってみたいと思います。多くのお世話になった方々がおりますが，そのごく一部の方々を紹介したいと思います。私にとっては，「人生を大きく化学反応・化学変化」させた大切な方々です。以下に示します。

❶中学校の時の先生：本を読みなさい。名古屋の大きな本屋さん「○○」に行きなさい。そこで一日いることが，丸山君の夏休みの宿題です。

▶本屋に1日いました。本を読んだり見たり，触れ合うことが好きになりました。それ以来本が好きになり，いろいろ調べることにも興味を持ちました。

❷高校の時の先生：教員をめざしたらどうか。地元に残って仕事ができる。やりがいのある仕事だよ，など具体的な進路について教えてもらいました。

▶好きだった科目の，「理科」と「工業」の教員免許が取れる大学を必死で探し，進学しました。最終的に教員になり今でも続けています。

❸大学の時の先生：研究をせよ，大学院に進め。大学をやめても続けよ。

▶研究職に魅力を感じましたが，困難と不確実性を乗り越えて教員採用試験に合格し，大学院を中退しました。常に研究せよと言われ，現在も研究しています。

❹大学時代の研究室の先輩：人生の在り方，対応の仕方の伝授「使う人間は，人のことを考え，使われる人間は上手に使われよ」。その後も指導を受ける。

▶企業の研究から経営者（社長）になっておられ，人生指導の重要な方です。本を書くきっかけにもなり，直接の指導を受けました。近畿大学リーダーズクラブへの推薦，SDGsなどの最新情報を広げよと指南を受けています。

❺大学時代の他の大学の先生：研究を一緒にしようと常に連絡を取りました。

▶常に研究についての交流をしていました。愛知県在住でしたのでよく会いに行きました。著書をいただいたり，いつも交流報告をしていました。

❻恵那ライブ気象台を一緒に作ってくださり共同研究をしている方：恵那ライブ気象台の設置から運営，Webまでのシステム開発をやってくださった方。

▶毎日メールのやり取りをしました。自宅にも2回ほど来ていただきました。研究システムのメンテナンスもしていただき，今でも交流しています。

❼研究会の研究所の先生：自分でいくらプリントを作ったり，書いたりし

ても，査読の学術論文になっていないと研究とは言えない。せっかくやっているのだから，学術研究雑誌に掲載しないといけない。研究は自分のためでもあるが，これを読んだ人やその関係の人や組織に大きな影響を与える。研究学会と研究雑誌を探してきなさい。私が大学院レベルの指導をして掲載まで持っていきます。これが研究の再開と継続になり広がりをみせました。

▶「日本太陽エネルギー学会」を見つけ，指導を受けて査読論文投稿までこぎつけました。この査読論文がきっかけで，足利大学にお世話になっています。研究の再開，学会発表と論文投稿の大きなチャンスをいただきました。

❽**足利大学の学長先生**（当時）：「日本太陽エネルギー学会」の論文が目に留まり，メールでのやり取りをしていました。私の大学に一度見に来ませんか。

▶「自然エネルギー総合セミナー」の一コマを担当させていただき，これがご縁で，足利大学総合研究センターの客員研究員，工学部非常勤講師を務めさせていただくことにつながりました。研究が通用すると思いました。

❾**足利大学の共同研究をしている先生**：足利大学総合研究センター長で，自然エネルギーセミナーの運営の先生。セミナー講師として呼ばれた時に非常に丁寧に対応していただき，人を大切にされる方だと思いました。

▶いままで共同研究者として，共同研究を継続し様々なご指導いただき現在に至っています。学術研究から工学教育，社会情勢，生活側面に至るまで多くの指導をいただき，情報交流をしています。学会発表や学術論文を継続して実施することになった方です。

❿**研究会の研究者の先生**：「教育とその実践，実践を生かした研究をしているので丸山先生は研究者です。研究を続けましょう」。そして福島支援プロジェクト（福島原子力発電所事故後）に一緒に行き，福島保健センターで1時間程度いただき，福島の子供たちの前で，サイエンス講座をやりました。少しでも寄与できたかと思いうれしかったです。

▶今でもご指導，交流いただき共同研究をしています。研究や教育に関することから生活面，人生への方向性を指南いただいています。東北地方へ

の地域に関しても多くの情報と活動するエネルギーをいただいている柱の方です。

⓫小学校勤務時の校長先生：小学校勤務中に私の研究やその特性を認めていただき励ましていただきました。研究業務を認めていただいた方です。

▶現在でもお会いし，ご指導をいただいています。教育側面だけでなく生活面から人生論に至るまで，相談にのってもらったり多くを学んでいます。

⓬高等学校の校長先生1人目：高等学校勤務のお声がけをしていただき，私の研究を認めていただき，理科から工業科への道筋を作っていただきました。

▶高等学校勤務でのお認めをいただきました。その面白さを知りました。

⓭高等学校の校長先生2人目：私の研究や職務内容を認めていただき，専門スキルを発揮しやすいようにしていただき，常勤講師への道を作ってくださいました。初任者研修の役割の位置づけをいただきました。

▶これをきっかけに「工業科」の教員を続けようと決心しました。さらに，工学研究を深め，工業科の専門性を磨いていきたいと思いました。

⓮高等学校の校長先生3人目：私の教育関係実践，研究について認めていただき，人の対応について温かい言葉をかけていただきました。さらに専門的見地よりのお認めとお声がけをいただきました。

▶より一層やる気を引き出すことになりましたし，校長先生の高い見地にも触れ，さらに教育・研究活動をしようと思いました。

⓯専門カウンセラー，トータルアドバイザーの先生：人的な側面で，人の能力を引き出し，認め次につなげる，具体的な方法を伝授してくださる先生です。キャリアマネジメント関係が専門で，個人事業ならびに大学非常勤講師もされています。すべての指南役の方で，その方向性が見事に当たっています。

▶この方のご指導をいただき，確実にステップアップの実感と具体的な方向に進んで現在まで来ました。この出会いは，確実に人生をよい方向に変革させて，本を書くまでに至っています。人間の能力開発につながっていると確信しています。

実はまだまだおられます。書ききれないのです。上記にあげた方々は，直接お会いした方々ばかりです。それ以外に，インターネットを通じて知り合った方や電話でのやり取りの方，さらには，当時児童，生徒だった皆さんもいます。振り返ると「人生を切り開くことになった方」は，50名以上はおられるかと思います。非常にありがたいことです。どのような世の中になっても生物体である以上，人間関係が最も重要であり，人生そのものであるということです。

　ここで，この方々との関係を分析しますと，学校教員として勤務し続け，研究を続けてきた訳が少しは分かっていただけたのではなないかと思います。これらの方々は，私にとって「人生を探究し切り開く」ことになった大切なキーパーソンの方々で恩人なのです。学校教員なので，通常ではとても日常の職務・業務に加えて，研究などとてもできないと思われがちなのですが，大した総合能力もない私でもそれはできるので，皆さんにも各種のカテゴリーの分野でできると思うのです。その推進する方式は今まで書いてきました。

　実は，最も大きいのは，人的環境の構築とネットワーク化，さらに情報システムの活用です。つまり，出会った人の言われたこと，支援していただいたこと，道筋を逃さずキャッチするということです。上記❹の社長からは，最近「今付き合っている方，今ご指導いただいている方を大切にして人生を歩むように……」と指導していただいたところです。

　つまり，過去も大切にしながら，今につなぎ将来の方向性も見出すことが可能となり，次への「実現可能な夢」につながっています。世の中では，「いろいろ夢を追う」と言われていますが，私の場合は「実現可能な夢」を追って，ある程度実現してきました。小学校，中学校，高等学校，大学までの授業の実践，研究所の設立と運営，研究活動（学会発表や査読論文），大学との共同研究，出前講座・セミナー，テレビ，新聞などに出ることなどで，この本を出すのも「実現可能な大きな夢」のメインなのです。

　それから，人的環境の構築には，様々な業種の人や地域，遠隔……など様々な分野の人とのチャンネルや連絡を取り合える関係（主にメールと電話ですが）を作り出し，ネットワーク化することです。どうしても職場関係

と地域だけだと限定的になり広がりません。各種情報を収集・活用ならびに相談などの案件も含めて、多様なチャンネルが必要なのです。大変厳しい各種状況からの脱却、また、逆境がくるのですが、また脱出する。そして、ピンチがチャンスではなく、「ピンチを、新たな道への開発のエネルギーに変換し、スキルアップする」というフローができ上がるのです。それらは、インターネットなどのデジタル、情報的な要素が大きいと思われるのですが、対面や遠隔を含め、「人的環境、人とのかかわりのおかげ」「人的環境の構築とその活用、相互情報活用交流」であると確信しています。人的環境は、人生を切り開くネットワークシステムになるのです。

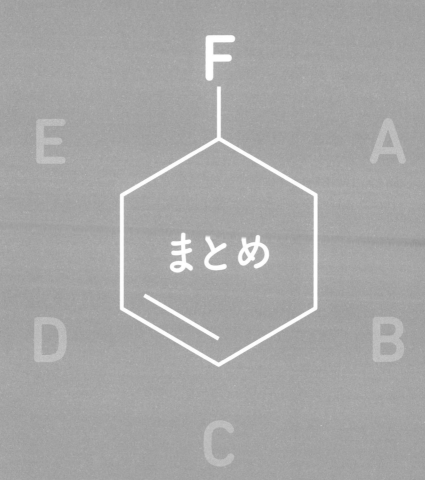

F
E
A
まとめ
D
B
C

まとめ・おわりに
論文・文献・実践活動，マスコミリスト

　このFは，今までのまとめのブロックです。

　A：総論，B：授業，C：研究，D：生活，E：情報の5ブロックで構成してきました。最後のブロックF：まとめを入れるとちょうど6個のブロックになります。

　これは，最初のA：総論のはじめにのところで書いた，ベンゼン環の6個のC（炭素）になるのです。Fでは，全体のまとめとして，今までの足跡を文献やリストなどで示し，各ブロックのまとめとして参考にしていただければと思いました。

　Aの総論では，学生時代から今までの経緯

　Bの授業では，学校における授業実践を中心に

　Cの研究では，研究推進や各種実践活動

　Dの生活では，ライフスタイルと生き方

　Eの情報では，情報活用の実例を中心に

　Fは，AからEの実際の文献，リスト，各ブロックの関係資料になっています。

　タイトルの「人生は化学反応・化学変化」であることや著者の私と人生の探究ができることでしょう。

Subtitle Keyword

F-01　論文，学会発表，発表原稿，参考・引用文献リスト

F-02　実践活動，講座・講演・セミナー・マスコミ，イベント・ブース関係資料

F-03　メディア出演，登録・協力機関，協力者

F-04　資格・免許リスト

・著者略歴，プロフィール

F-01 論文，学会発表，発表原稿，参考・引用文献リスト

■ 査読論文

1) 丸山晴男，中條祐一：工学教育の入り口として高等学校工業科専門科目と物理・化学との融合化する試み，技術史教育学会誌，24-1・2，pp.13-20，2023.

2) 丸山晴男，中條祐一：「単位とその歴史」を導入とした工学教育に関する一考察，技術史教育学会誌，21-2，pp.33-38，2020.

3) 丸山晴男，中條祐一：各種機器分析の化学史と化学分析手法を工学教育に活用する一考察，技術史教育学会誌，20-2，pp.29-34，2019.

4) 丸山晴男，中條祐一：中学教育3年間の理科と技術科に一貫して工学的視点を取り入れることの効果，工学教育，67-6，pp.96-101，2019.

5) 丸山晴男，中條祐一：エネルギー・物質分野における工学教育の入り口としての中学技術の重要性と理科との連携，工学教育，65-3，pp.813，2017.

6) 丸山晴男，中條祐一：理科教育から工学教育につなぐ，化学史導入カリキュラム実践の効果，技術史教育学会誌，17-2，pp.19-24，2016.

7) 丸山晴男，中條祐一：エネルギーを体系的にとらえるための化学エネルギーから自然エネルギー導入教育，エネルギー環境教育研究，10-1，pp.11-18，2016.

8) 丸山晴男：自然エネルギー利用とその包括的・継続的情報発信によるエネルギー環境教育への応用，エネルギー環境教育研究，7-1，pp.3-7，2012.

9) 丸山晴男：家庭での自然エネルギー利用の実践と学校や地域への環境

教育への応用展開，エネルギー環境教育研究，4-2, pp.33-40, 2010.

10) 丸山晴男：家庭用気象データ連携収集型太陽光・風力発電システムの開発，太陽エネルギー，35-3, pp.47-52, 2009.

11) Mitsuo MIYAZAWA, Haruo MARUYAMA, Hiromu KAMEOKA：Essential Oil Constituents of "PAEONIAE RADIX" Peaonia lactiflora Pall.（P. albilora Pall.），Agricultural and Biological Chemistry, 48-11, pp.28-47, 28-49, 1984.

12) Mitsuo MIYAZAWA, Haruo MARUYAMA, Hiromu KAMEOKA：Volatile flavor components of crude drugs. Part I. Essential oil constituents of "MOUTAN RADICIS CORTEX" Paeonia moutan SIMS.（=P. suffruticosa ANDREWS），Agricultural and Biological Chemistry, 47-12, pp.2925-2927, 1983.

13) 亀岡 弘，丸山晴男，宮沢三雄：アロエの水蒸気揮発性油の成分，日本農芸化学会誌，55-10, pp.997-999, 1981.

■ 学会発表・講演論文等

14) 丸山晴男，中條祐一：私設気象観測所と大学研究室の研究データを活用した工学教育，日本技術史教育学会 2022年度　関西支部総会（兵庫・神戸）研究発表講演論文集，pp.13-16, 2023.

15) 丸山晴男，中條祐一：高等学校工業科専門科目と理科（物理・化学）を融合化させた工学教育の在り方，日本技術史教育学会2021全国大会（島根・松江）研究発表講演論文集，pp.13-16, 2021.

16) 丸山晴男，中條祐一：高等学校工業科専門科目と理科との連携および大学との連結性を考慮した工学教育，日本技術史教育学会2021総会（東京・町田）研究発表講演論文集，pp.40-43, 2021.

17) 丸山晴男，中條祐一：「単位とその歴史」を導入とした工学教育に関する一考察，日本技術史教育学会2019全国大会（東京・町田）・研究発表講演論文集，pp.35-38, 2019.

18) 丸山晴男，中條祐一：各種機器分析の化学史と化学分析手法を工学教育に活用する一考察，日本技術史教育学会2018全国大会（神奈川・厚木）

研究発表講演論文集，pp.16-18, 2018.

19) 丸山晴男，中條祐一：中学教育3年間すべての理科と技術科に工学的
視点を取り入れることの効果，日本工学教育協会，第66回年次大会，
工学教育研究講演会（名古屋工業大学）講演論文集，pp.446-447, 2018.

20) 丸山晴男，中條祐一：理科と技術科の融合による中等教育への工学的
思考の導入，日本工学教育協会，第65回年次大会，工学教育研究講演
会（東京都市大学・世田谷キャンパス）講演論文集，pp.36-37, 2017.

21) 丸山晴男，中條祐一：工学教育の入り口としての中学技術科の重要性
と理科との連携，日本工学教育協会，第64回年次大会，工学教育研究
講演会（大阪大学工学部）講演論文集，pp.48-49, 2016.

22) 丸山晴男，中條祐一：理科教育から工学教育につなぐ，化学史導入カ
リキュラム実践の効果，日本技術史教育学会2015全国大会（栃木・足利）
研究発表講演論文集，pp.41-43, 2015.

23) 丸山晴男，中條祐一：エネルギーを体系的にとらえるための化学エネ
ルギー導入教育，日本エネルギー環境教育学会第9回全国大会（東邦大）
論文集，pp.102-103, 2014.

24) 丸山晴男，中條祐一：東西の実践的自然エネルギー環境教育連携の試み，
日本エネルギー環境教育学会第8回全国大会（島根大）論文集，pp.90-
91，2013.

25) 丸山晴男，中條祐一：ICTを活用した情報発信ツールを東西で融合す
ることによる科学教育の展開，日本科学教育学会研究会東海支部（岐
阜大）研究会報告，科教研報，27-5，pp.27-32, 2013.

26) 丸山晴男：自然エネルギーの有効利用に関する研究と学校や地域にお
ける環境教育への応用展開，足利工業大学・総合研究センター，第8
回　自然エネルギー利用総合セミナーテキスト，pp.1-9〜1-32.2011.

27) 丸山晴男：私設研究所における自然エネルギー利用研究成果の環境教
育への応用，日本エネルギー環境教育学会，第6回全国大会（山梨大）
論文集，pp.126-127, 2011.

28) 丸山晴男：ネットワークを生かした地球温暖化防止を推進するエネル
ギー環境教育の実践的研究，東海地域における広域的なエネルギー環

境教育普及の為の実践とその評価に関する研究，四日市大学エネルギー環境教育研究会，pp.23-44, 2008.

29）丸山晴男：身近なエネルギー環境教育と自然エネルギーの研究，エネルギー環境教育フォーラム in 東海，経産省資源エネ庁，四日市大学エネルギー環境教育研究会, 2006.

30）丸山晴男：情報ネットワークの活用を生かしたエネルギー環境教育の在り方，日本理科教育学会研究発表 第52回東海支部大会, 2005.

31）丸山晴男：地域を生かし，生活と結びつけ継続した環境教育の在り方〜理科を核とした環境学習と情報教育の実践から2〜，日本理科教育学会全国大会，49, p.187, 1999.

32）丸山晴男：地域を生かし，生活と結びつけ継続した環境教育の在り方〜理科を核とした環境学習と情報教育の実践から1〜，日本科学教育学会年会論文集，23, pp.325-326, 1999.

33）丸山晴男：放射線教育に関する国際シンポジウム〜岐阜県東濃地域の環境放射線測定を通しての放射線教育〜，放射線教育に関する国際シンポジウム，放射線教育フォーラム，ISRE98, JAERI-Conf 99-011, pp.252-259, 1998.

■ 紀要論文等

34）丸山晴男，中條祐一：高等学校の「工業系・工業科目」および「理学系科目」との関連を視野に入れた工学教育，足利大学総合研究センター年報，23, pp.11-16, 2022.

35）丸山晴男，中條祐一：中等教育における理工系科目と大学工学部の専門科目との関連を視野に入れた工学教育推進の在り方，足利大学総合研究センター年報，22, pp.26-31, 2021.

36）丸山晴男，中條祐一：中等教育のエネルギー・物質分野における工学教育推進，足利大学総合研究センター年報，21, pp.31-36, 2020.

37）丸山晴男，中條祐一：自然エネルギーを中核とした，エネルギー・物質分野の初等中等教育から高等教育への工学教育の推進，足利大学総合研究センター年報，20, pp.19-24, 2019.

38) 丸山晴男，中條祐一：自然エネルギーを核とした初等中等教育から高等教育に至る工学教育の推進の在り方，足利大学総合研究センター年報，19, pp.23-28, 2018.

39) 丸山晴男，中條祐一：エネルギー環境教育を核とした初等中等教育から高等教育に至る工学教育の推進，足利大学総合研究センター年報，18, pp.104-109, 2017.

40) 丸山晴男，中條祐一：化学エネルギーと自然エネルギーを関連融合化させたエネルギー環境教育の研究,足利工業大学総合研究センター年報，17, pp.105-112, 2016.

41) 丸山晴男，中條祐一：ICTを活用した情報発信ツールの東西融合化によるエネルギー環境教育の展開，足利工業大学総合研究センター年報，16, pp.132-139, 2015.

42) 丸山晴男，中條祐一：自然エネルギー利用教材の開発とその教育的効果の検証に関する研究，足利工業大学総合研究センター年報，15, pp.139-144, 2014.

43) 丸山晴男：インターネットを利用した自然エネルギー利用研究の推進と環境教育への応用2〜WEBを利用した情報開示と教育への応用〜，岐阜聖徳学園大学，教育実践科学研究センター紀要，11, pp.237-246, 2012.

44) 丸山晴男：インターネットを利用した自然エネルギー利用研究の推進と環境教育への応用〜気象と太陽光発電の相関データの収集と教育への応用〜，岐阜聖徳学園大学教育実践科学研究センター紀要，10, pp.183-192, 2011.

45) 丸山晴男：土岐市プラズマ研究委員会の取り組み〜東濃地区の環境放射線を見つめて・自然エネルギーの利用・実践教育への取り組み〜，核融合科学研究所，NIFS NEWS，196, pp.8-9, 2010.

46) 丸山晴男：学校における省エネ・スリム化と環境教育・温暖化防止活動の研究〜校務の情報化と職員研修，環境教育プログラムと出前講座，地域へ広がる地球温暖化防止活動〜教員教育研究，岐阜大学，6, pp.179-191, 2010.

47) 丸山晴男：1台あればできるパソコン授業～パソコンの有効な活用方法を求めて～，学習システム研究，20，2，pp.18-21.1996.

48) 丸山晴男：VII. 施設見学記，VII・2.昭和62年度研修旅行，IPPJ-DT・資料・技術報告，核融合科学研究所，pp.104-110，1989.

■ 依頼原稿，雑誌掲載等

49) 丸山晴男：研究・教育・実践活動を推進する「恵那エネルギー環境研究所」～恵那ライブ気象台，計測システム，ライブカメラで社会へ情報発信～，エネルギー環境教育のフロンティア Vol.2，中部・東海エネルギー教育地域会議，2，pp.38-39，2022.

50) 丸山晴男：工学的研究を大学連携させた「工学教育・工業教育」に関する提言，工業教育資料，実教出版，399，pp.1-6，2021.

51) 丸山晴男：研究・実践活動と学校教育をつなぐエネルギー環境教育～自然エネルギー研究，工学教育を核として～，エネルギー環境教育のフロンティア Vol.1，中部・東海エネルギー教育地域会議，1，pp.20-21，2021.

52) 丸山晴男：母校での学びが人生の礎に，理工情報，近畿大学理工学部同窓会（理工会），19，pp.15-22，2013.

53) 丸山晴男：エネルギーと環境について考えよう～太陽光や風力発電の研究を理科学習・環境講座に活用！～，ICTの利活用！ 授業で使える！実践事例アイディア集 Vol. 20（小学校・特別支援学校），（社）日本教育工学振興会（JAPET），pp.82-83，2012.

54) 丸山晴男：恵那ライブ気象台でわくわく天気学習（Webページのライブ気象台を活用して天気の謎に迫る！）ICTの利活用！ 授業で使える！ 実践事例アイディア集 Vol. 16（小学校・特別支援学校），（社）日本教育工学振興会（JAPET），pp.90-91，2008.

55) 丸山晴男：Enjoy Sunny Life（第5回）自然エネルギー利用でよりよい環境をつくりだすために，ソーラーシステム，ソーラーシステム研究所，100，pp.85-89，2005.

56) 丸山晴男：自然エネルギーの研究／恵那市の太陽光発電と風力・太陽

光ハイブリッドシステム，ソーラーシステム，ソーラーシステム研究所，99, pp.41-46, 2005.

57）丸山晴男：水の力　モデル実験と映像でまるわかり！，第7回コンピュータ教育実践アイディア賞　2席：宮島教育賞，（社）日本教育工学振興会（JAPET），2003.

58）丸山晴男：水の力　モデル実験と映像でまるわかり！，コンピュータ活用！　授業で使える！　実践事例アイディア集Vol.12，（社）日本教育工学振興会（JAPET），12, pp.88-89, 2003.

59）丸山晴男：エネルギー環境をテーマとした調べ学習と実験【総合的な学習】，エネルギー教育指導事例集，（財）社会経済生産性本部・エネルギー環境教育情報センター，pp.79-83, 2002.

60）丸山晴男：環境測定と新エネルギー利用による環境教育のあり方（ちゅうでん教育振興財団教育振興助成入賞），ちゅうでん教育振興財団教育振興助成，公益社団法人　ちゅうでん教育振興財団，2002.

61）丸山晴男：地域の環境調査を通して問題意識を育てる「守ろう西和良，この地球を！」（水質調査, 酸性雨環境調査, インターネット活用），小学館｜子どもと楽しむ環境教育ガイド'98〜99」，小学館，p.57, 1998.

62）丸山晴男：地域の環境調査を通して問題意識を育てる「守ろう西和良，この地球を！」（水質調査, 酸性雨環境調査, インターネット活用），第6回全国小中学校環境教育賞奨励賞受賞，日本児童教育振興財団，1998.

63）丸山晴男：環境調べ学習，環境科学作品，環境実験，岐阜県教育センター環境教育シンポジウム，岐阜県教育センター，1997.

64）丸山晴男：手軽なわくわくパソコン授業・パソコンは1台でも使える，パソコンリテラシ，（社）パーソナルコンピュータユーザー利用技術協会，21, pp.40-47, 1996.

65）丸山晴男：「シスアド塾」でバッチリ シスアド学習〜繰り返してやれば必ず合格の力がつく！〜，シスアド塾（シスアド学習雑誌）'96，オーム舎，p.75, 1996.

66）丸山晴男：話しことば：発音・発声練習「口の体操2」，FANTAVISION シュミレーションソフト開発，自作教育ソフト年鑑・パソコンソ

フト全集'95，学習研究社，p.96, 1995.

67）丸山晴男：話しことば・口の体操　FANTAVISION シュミレーション
ソフト開発，NEW 教育とマイコン・自作教育ソフト年鑑，パソコン
ソフト全集'94，学習研究社，NEC（日本電気），pp.94-070, 1994.

68）丸山晴男：生活と結びつけた身近なエネルギー教育と環境教育の関わり，
小学校理科シンポジウム資料，岐阜県教育センター，1994.

69）丸山晴男：物の性質と磁石（磁石シミュレーション）　FANTAVISION シ
ュミレーションソフト開発，NEW 教育とマイコン・自作教育ソフト
年鑑，パソコンソフト全集'93，学習研究社，pp.93-165, 1993.

70）丸山晴男：表とグラフ（自動車シミュレーション）FANTAVISION シュミ
レーションソフト開発，NEW 教育とマイコン年度 自作教育ソフト年鑑，
パソコンソフト全集'93，学習研究社，pp.93-152, 1993.

71）丸山晴男：エネルギー教育 物の性質と磁石（小学校3年生），エネルギ
ー教育実践事例集（小学校用），（社）社会経済国民会議・エネルギー環
境情報センター，pp.48-52, 1993.

72）丸山晴男：自動車・シミュレーションでわくわく授業・3年「表とグ
ラフ」，NEW 教育とマイコン，学習研究社，9，1月号，pp.106-110,
1993.

73）丸山晴男：身近な食品を利用した新しい物質の分離の指導法（日常生活
と結び付けた化学学習），教室の窓 中学理科 新しい科学，東京書籍，
309，pp.6-7, 1984.

F-02 実践活動，講座・講演・セミナー・マスコミ，イベント・ブース関係資料

　記録を取り始め，データがある実践活動を以下にまとめました。
講座として，自治会（県，市町村など）関係，学校関係，子供会関係，講演・
セミナー，イベントブース，マスコミ関係などを年度順に以下にまとめた。

■ 自治体等関係講座・市民講座等

〔2022年度〕
- 恵那市民講座〔キャッシュレス講座A〕恵那文化センター
- 恵那市民講座〔キャッシュレス講座B〕恵那文化センター
- 恵那市民講座〔キャッシュレス講座C〕上矢作コミュニティセンター

〔2021年度〕
- 恵那市民講座〔キャッシュレス講座A〕恵那文化センター
- 恵那市民講座〔キャッシュレス講座B〕恵那文化センター
- 恵那市民講座〔キャッシュレス講座C〕上矢作コミュニティセンター

〔2020年度〕
- 恵那市三学塾プレゼン：インターネット市民講座〔食品の秘密〕恵那文化センター
- 恵那市民講座〔キャッシュレス講座〕恵那文化センター
- 恵那市民講座〔スマホ決済システム〕恵那文化センター
- 恵那市民講座〔食べ物のあれこれ2〕岩村コミュニティセンター
- 恵那市民講座〔最新生活情報満載〕岩村コミュニティセンター

〔2019年度〕
- 岐阜コミュニティ創造大学講座〔食環境講座〕可児市春里地区センター
- 恵那市民講座〔食べ物の不思議〕恵那市民会館
- 恵那市民講座〔お得な生活情報最前線A〕恵那市民会館
- 恵那市民講座〔サイエンスショー：科学工作講座〕恵那文化センター
- 恵那市民講座〔食べ物のあれこれ〕岩村コミュニティセンター
- 恵那市民講座〔お得な生活情報最前線B〕岩村コミュニティセンター
- サイエンス環境講座〔サイエンスショー〕春日井市高森台ドングリ子供会
- サイエンス環境講座〔サイエンスショー〕富加町タウンホール富加
- わくわくドキドキ科学講座〔科学工作〕みのかも文化の森／美濃加茂市民ミュージアム
- エコドライブ講習会〔エコドライブと環境〕ふれあいエコプラザ

〔2018年度〕
- 恵那市民講座〔作って遊ぼう・サイエンス講座〕恵那文化センター
- 岐阜コミュニティ創造大学講座〔食環境講座〕可児市春里公民館他
- サイエンス環境講座〔光・化学物質の不思議〕関市：龍泰寺夏休み講座
- サイエンス環境講座〔ソーラークッカー＆環境〕ふれあいエコプラザ
- サイエンス環境講座〔光の不思議，化学実験〕タスクール（名古屋）
- エコライフ講座〔エコドライブ講座〕ふれあいエコプラザ

〔2017年度〕
- 恵那市民講座〔作って遊ぼう・サイエンス講座〕恵那文化センター
- 秋の工房アラカルト〔自然エネルギーと光の科学〕サイエンスワールド
- サイエンスショー・講座〔環境化学系列〕愛知県一宮市新神戸子ども会

〔2016年度〕
- 富加町親子市民講座〔エネルギー環境工作〕富加町立児童センター
- 恵那市民講座〔作って遊ぼう・サイエンス講座〕恵那文化センター
- 岐阜コミュニティ創造大学講座〔環境工学講座〕可児市春里公民館他

〔2015年度〕
- 土岐市環境親子講座〔エネルギー環境工作〕土岐津公民館
- 岐阜コミュニティ創造大学講座〔環境工学講座〕可児市春里公民館他
- こどもサイエンス講座〔わくわく科学環境教室〕恵那文化センター
- 工房アラカルト：親子講座〔サイエンス・環境〕サイエンスワールド

〔2014年度〕
- 岐阜コミュニティ創造大学講座〔環境工学講座〕可児市春里公民館他
- こどもサイエンス講座〔わくわく科学環境教室〕恵那文化センター

〔2013年度〕
- 環境学習講座〔太陽の力ってすごい！　省エネ〕武並コミュニティセンター
- 岐阜コミュニティ創造大学講座〔環境工学講座〕可児市春里公民館他
- こどもサイエンス講座〔わくわく科学環境教室〕恵那文化センター

〔2012年度〕
- 市民大学：岐阜コミュニティ創造大学講座〔4回講座：環境学概論：

環境科学とエコライフスタイル〕：春里公民館など
- 市民講座〔暮らしに役立つ環境講座3〕恵那市民講座：文化センター
- 恵那市中央図書館講座〔ソーラークッカー，UVビーズ〕：恵那市図書館
- 環境学習講座〔太陽の力ってすごい！〕：恵那市ふれあいエコプラザ
- 市民講座〔自然エネルギー＆エコライフ〕武並コミュニティセンター
- 学童保育講座〔地球環境の様子＆省エネ生活〕岩村学童保育・岩邑小
- 福井県：現代的課題講座「環境・科学」〔家庭での自然エネルギー利用〕
福井県生活学習館ユー・アイふくい
- 環境フェア中津川〔エコドライブ講習〕中津川市東美濃ふれあいセンター
- 清流の国ぎふ〔環境科学ネットワーク研修会〕サイエンスワールド

〔2011年度〕
- エコドライブ講習会〔エコドライブの極意・実用〕：恵那市民講座
- 子どもエコ講座〔子ども天気博士：温暖化防止，省エネ〕：恵那市民講座
- 子ども科学講座〔エネルギー環境実験〕：武並コミュニティセンター
- 夏休み子どもサイエンス講座〔エネルギー環境実験〕：恵那文化センター
- 新エネ・省エネ体験ツアー〔太陽光発電，小水力〕：岐阜県主催（郡上）
- 岐阜県エコドライブ講習会〔エコドライブ理論・実践〕：大原自動車学校
- 市民大学：岐阜コミュニティ創造大学講座〔5回講座：環境学概論，環境科学，エコライフスタイル〕可児市アーラ，可児市春里公民館など
- 子どもエコ講座〔地球温暖化防止，省エネ〕：恵那市民講座
- 恵那市環境講座〔エコドライブとエコライフスタイル〕：恵那市民講座

〔2010年度〕
- 恵那市子ども講座〔サイエンス・エコ講座〕：武並コミュニティセンター
- こども講座〔サイエンス講座：科学，環境〕（6回）：恵那市民講座

〔2009年度〕～〔2006年度〕

• 恵那市市民講座（科学講座）

〔2005年度〕

• 親子サイエンス講座〔サイエンス実験・工作〕：中野方公民館

〔2004年度〕

• こどもサイエンス講座〔サイエンス実験・工作〕：恵那市民講座

■ 講演・セミナー・出前講座・学校・こども会関係等

〔2022年度〕

• 環境教育インストラクター応募資格取得セミナー：愛知環境カウンセラー協会

• 環境教育講座〔SDGs〕本巣市立本巣小学校

• 環境教育講座〔SDGs〕瑞穂市立穂積小学校

• 環境教育講座〔SDGs〕土岐市立肥田小学校

• 環境教育講座〔SDGsカワゲラ講座〕土岐市環境教育講座

• 環境教育講座〔SDGs〕土岐市立肥田小学校附属幼稚園

〔2021年度〕

• なし

〔2020年度〕

• なし

〔2019年度〕

• 食環境科学出前講座〔食品添加物〕恵那市岩村町ふるさと富田会館

• サイエンス講座名古屋〔光・化学物質の不思議〕タスクール（名古屋）

• サイエンス環境講座〔ソーラークッカー＆光〕海津市働く女性の家

• サイエンス講座〔サイエンスショー〕一宮尾西：宮後公民館

• エネルギー環境〔環境：自然エネルギー専門講座〕白川町庁舎

• サイエンス環境教室〔工作・サイエンスショー〕関市立南ヶ丘小学校

〔2018年度〕

• 岐南町立北小学校：けあき祭〔環境工作ブース〕岐南町立北小学校

• 食環境出前講座〔食品添加物・食材選び〕恵那市・めぐみ亭

• 総合的な学習〔サイエンスショー・環境講座〕関市立南ヶ丘小学校

〔2017年度〕
- セミナー：食べ物のふしぎ〔食品添加物〕中野方コミュニティセンター

〔2016年度〕
- ソーラークッカー全国大会〔研究・実践資料〕甲府市リサイクルプラザ
- サイエンスショー・講座〔参観日授業〕恵那市立山岡小学校4年度生
- サイエンスショー・講座〔参観日授業〕下呂市立宮田小学校全校
- サイエンスショー・講座〔参観日授業〕八百津町立和知小学校全校
- サイエンスショー・講座〔参観日授業〕白川町立白川北小学校全校

〔2015年度〕
- 科学のふしぎ体験〔わくわく実験・環境学習〕恵那市・サンホールくしはら
- ソーラークッカー全国大会〔恵那エネ環境研・研究実践情報〕足利大学

〔2014年度〕
- 環境省「持続可能な地域づくりを担う人材育成事業」ESD研修会 群馬県立上毛青少年自然の家
- 福島支援プロジェクト講座〔エネルギー環境講座〕福島市保健福祉センター
- 環境教育ワークショップ〔環境，ソーラークッカー〕瑞浪市立明世小学校

〔2013年度〕
- 岐阜県小学校理科部会教育講座〔小学校教員向け環境講座〕笠原公民館
- 環境出前講座〔自然エネルギー＆エコライフ〕瑞浪市立陶小学校

〔2012年度〕
- ロータリークラブ卓話〔エネルギー環境〕恵那ロータリークラブ

〔2011年度〕
- なし

〔2010年度〕
- 岐阜県自然エネルギーセミナー：パネリスト
- 岐阜県新エネ・省エネ体験バスツアー（太陽光発電，温暖化防止）講師
- 環境学習出前講座「地球温暖化・ゴミ問題」：瑞浪市立陶小学校

- 新エネルギー講座「未来を拓く太陽光発電」（長瀬土建：高山市）
- 環境保全講演会（卓話）（愛知：あまロータリークラブ）名鉄グランドホテル
- 中部学院大学シティカレッジ講座「環境学習：省エネ，地球温暖化防止」

〔2009年度〕
- なし

〔2008年度〕
- 恵那市出前講座「エネルギー環境，省エネについて」

〔2007年度〕
- 岐阜県地球温暖化防止活動推進員等研修会：実践発表
- 恵那市環境対策協議会講演会「今こそ推進，地球温暖化防止，省エネ」
  講演
- 恵那ロータリークラブ講演（卓話）「身近な環境：省エネルギー」

〔2006年度〕
- エネルギー環境フォーラムin東海「身近なエネルギー環境教育と自然エ
  ネルギーの研究」研究発表

〔2005年度〕
- 恵那市民講座（中野方親子サイエンス講座）

〔2004年度〕
- 恵那市市民講座：子どもサイエンス講座（エネルギー環境実験）

〔2003年度〕
なし

〔2002年度〕
- IT基礎技能講習会（恵那市会場）講師

〔2001年度〕
- こどもエコクラブサポーター（環境教育，科学作品等指導サポート）

〔2000年度〕
なし

〔1999年度〕
- 瑞浪市：コンピュータ市民講座〔瑞浪市陶小学校〕

〔1998年度〕

- 岐阜県郡上郡八幡町西和良地区環境調査，郡上深山鍾乳洞見学調査
- 岐阜県郡上郡八幡町河川水質調査カワゲラウォッチング

〔1997年度〕
- 岐阜県郡上郡八幡町西和良地区環境調査，郡上深山鍾乳洞見学調査
- 岐阜県郡上郡八幡町河川水質調査カワゲラウォッチング

〔1996年度〕
- 岐阜県郡上郡八幡町西和良地区環境調査，郡上深山鍾乳洞見学調査
- 岐阜県郡上郡八幡町河川水質調査カワゲラウォッチング
- 郡上郡西和良地区コンピュータ講座〔郡上郡八幡町立西和良中学校〕

■ イベント・ブース関係等

〔2022年度〕
- 恵那市こどもフェスタ〔エネルギー環境ブース〕恵那文化センター
- 可児市環境フェスタ〔チャレンジSDGs＆わくわく環境サイエンスショー〕可児市広見公民館

〔2021年度〕
- なし

〔2020年度〕
- なし

〔2019年度〕
- サイエンスフェア〔自然エネルギー＆光の科学〕サイエンスワールド
- えなしこどもフェスタ2019〔エネルギー環境ブース〕恵那文化センター
- えな環境フェア2019〔恵那エネルギー環境研究所ブース〕恵那市民会館

〔2018年度〕
- 恵那市こどもフェスタ〔エネルギー環境ブース〕恵那文化センター
- サイエンスフェア〔自然エネルギー＆光の科学〕サイエンスワールド
- サイエンスショー〔化学実験，物理実験〕多治見市産業文化センター
- 笠松競馬秋まつり〔サイエンスショー・環境工作〕笠松競馬場特設ブース
- えな環境フェア2018〔恵那エネルギー環境研究所ブース〕恵那市民会館
- わくわくドキドキ科学の広場〔サイエンス工作〕みのかも文化の森

- ソーラークッカー全国大会第4回〔研究・実践〕豊田市環境学習施設
〔2017年度〕
- 恵那市こどもフェスタ〔エネルギー環境ブース〕恵那文化センター
- サイエンスフェア〔自然エネルギー＆光の科学〕サイエンスワールド
- わくわく科学の広場〔自然エネルギー＆光〕みのかも文化の森
- えな環境フェア2017〔恵那エネルギー環境研究所ブース〕恵那市民会館
〔2016年度〕
- 青少年のための科学の祭典in恵那〔エネルギー環境ブース〕恵那文化セン
ター
- サイエンスフェア〔自然エネルギー＆エコライフ〕サイエンスワールド
- えな環境フェア2016〔恵那エネルギー環境研究所ブース〕恵那市民会館
〔2015年度〕
- えなしこどもフェスタ〔自然エネルギー＆UV実験〕恵那文化センター
- サイエンスフェア〔自然エネルギー＆エコライフ〕サイエンスワールド
- 下呂市アクティブサマーキッズフェスタ2015〔環境工作〕下呂交流会館
- えな環境フェア2015〔恵那エネルギー環境研究所ブース〕恵那市民会館
- 可児市環境フェスタ〔環境科学サイエンスショー〕可児市広見公民館
〔2014年度〕
- 恵那市こどもフェスタ〔自然エネルギー＆UV実験〕恵那文化センター
- サイエンスフェア〔自然エネルギー＆エコライフ〕サイエンスワールド
- えな環境フェア2014〔恵那エネルギー環境研究所ブース〕恵那市民会館
〔2013年度〕
- かがくさんすうアカデミー：中部学院大学
- 恵那市こどもフェスタ〔自然エネルギー＆UV実験〕（体験実験）
- サイエンスフェア〔自然エネ＆エコライフ，UV工作〕サイエンスワー
ルド
- えな環境フェア2013：自然エネルギー＆楽しもう省エネ・エコライフ
〔2012年度〕
- かがくさんすうアカデミー：中部学院大学
- 恵那市こどもフェスタ〔自然エネルギー＆UV実験〕（環境体験実験）

- サイエンスフェア〔自然エネ＆エコライフ，UV工作〕サイエンスワールド
- えな環境フェア2012：自然エネルギー＆楽しもう省エネ・エコライフ
〔2011年度〕
- かがくさんすうアカデミー：中部学院大学
- 青少年のための科学の祭典：エネルギー・環境ブース「自然エネルギー，発電実験」
- サイエンスフェア〔自然エネルギー＆光の科学〕サイエンスワールド
- えな環境フェア2011：自然エネルギー＆楽しもう省エネ・エコライフ
〔2010年度〕
- かがくさんすうアカデミー：中部学院大学
- 恵那市こどもフェスタ（エネルギー・環境体験実験）
- えな環境フェア2010：自然エネルギー＆楽しもう省エネ・エコライフ
〔2009年度〕
- サイエンスフェア〔省エネ・地球温暖化防止〕サイエンスワールド
- えな環境フェア2009：省エネ温暖化防止・エコライフ・エコドライブ」
〔2008年度〕
- サイエンスフェア〔身近な科学現象＆科学実験〕サイエンスワールド
- えな環境フェア2008：STOP地球温暖化防止，取り組もう省エネ
〔2007年度〕
- サイエンスフェア〔身近な科学現象＆科学実験〕サイエンスワールド
- えな環境フェア2007：省エネ，地球温暖化防止
- 韓国 全州大学 訪問団（8名）恵那エネルギー環境研究所 訪問
〔2006年度〕
- サイエンスフェア〔身近な科学現象＆科学実験〕サイエンスワールド
〔2005年度〕
- サイエンスフェア〔身近な科学現象＆科学実験〕サイエンスワールド
〔2004年度〕
- サイエンスフェア〔身近な科学現象＆科学実験〕サイエンスワールド
〔2003年度〕

- サイエンスフェア（環境関係）サイエンスワールド
〔2002年度〕
- サイエンスフェア（身近な物質と環境）サイエンスワールド
〔2001年度〕
- サイエンスフェア（水と環境）サイエンスワールド
〔2000年度〕
- サイエンスフェア（身近な科学環境）サイエンスワールド
〔1999年度〕
- サイエンスフェア（身近な科学環境）サイエンスワールド
〔1998年度〕
- 岐阜県教育センター環境教育シンポジウム発表ブース出展
〔1997年度〕〜〔1994年度〕
なし
〔1993年度〕
- 岐阜県教育センター小学校理科シンポジウム発表（エネルギー：磁石の研究，環境調べ学習，環境パノラマ発表会）

F-03 メディア出演, 登録・協力機関, 協力者

■ 新聞

1） 省エネルギーと3Rで楽しいエコライフ！ 地球温暖化防止を進めましょう：恵那市環境対策協議会機関紙, 39, 2007-02-01.
2） 地球の環境守りたい, 自宅に研究所, 情報発信：中日新聞, 2007-08-24.
3） 恵那エネルギー環境研究所紹介：恵峰ホームニュース, 2008-01.
4） 「燃料源に間伐材, 究極の地産地消」新エネルギー活用を：岐阜新聞, 2010-06-20.
5） 電気をおこす大変さ実感, ぐるぐる手回し……ランプついた！：岐阜新聞, 2011-07-27.

6) 恵那で環境や気象研究：東濃新報，2012-06-08.

7) 家庭で使う自然エネ，福井で講座 市民がポイントを学ぶ：日刊県民福井，2021-10-09.

8) 屋根にパネル，庭に風車，エコ住宅：中日新聞，2013-01-01.

9) ぎふ人もよう，エコ住宅実践を教育に：中日新聞，2013-01-15.

10) 水の色変わってびっくり 海津で子ども科学教室：中日新聞，2019-08-01

11) 水質保全を実験で学ぶ 土岐 小学生向け河川環境講座：中日新聞，2022-07-17

■ テレビ

1) えなりかずき！ そらナビ「達人企画：お天気達人その（3）丸山晴男さん」：CBCテレビ，2007-11-10.

• 恵那エネルギー環境研究所，恵那ライブ気象台のシステムの紹介とその設置運営者として，天気の達人として紹介された。（約10分間）

• 出演者：えなりかずき氏，森田正光氏，森朗氏，加藤由香アナウンサー等

2) ぎふ最前線〜くらしをみつめて〜 わたしの「ぎふエコ宣言」！（岐阜県広報課：制作・著作）：岐阜放送，2008-12-02.

• 地球温暖化防止に取り組む個人，グループ，企業などを集材し，岐阜県内の取り組みの最前線を追跡する番組

• 「究極のエコハウス」丸山晴男さん（恵那市）として紹介。（約12分間）

• 出演者：内田忠男氏（国際ジャーナリスト），宮本忠博氏

■ ラジオ

1) NHKラジオ 地域活動紹介，恵那エネルギー環境研究所，恵那ライブ気象台と環境保全活動：NHKラジオ第一放送（全国ネット），2008-02-14.

2) Change マイライフ，エネルギー，環境，省エネ：岐阜FMラジオ80（FM − 80MHz）身近なことからエーコとしよう。エコのスペシャリストが

お話します。（約5分），2011-08-4, 11, 18, 25（8月4回放送）

■ Youtube

1）恵那市オンライン市民講座：食品の秘密；YouTube恵那市公式チャンネル，恵那市ウェブサイト：https://www.youtube.com/watch?v=GrvVZmqOxTo 2020-06-07〜現在

■ 表彰

1）日本技術史教育学会 優秀講演論文賞「高等学校工業科専門科目と理科との連携および大学との連結性を考慮した工学教育」，日本技術史教育学会，2022年6月

2）日本技術史教育学会 創立25周年記念 特別表彰 日本技術史教育学会，2020年11月

3）日本技術史教育学会 優秀講演論文賞「各種機器分析の化学史と化学分析手法を工学教育に活用する一考察」：日本技術史教育学会，2019年6月

4）日本エネルギー環境教育学会賞 実践報告賞 日本エネルギー環境教育学会，2011年8月

5）第7回 コンピュータ教育実践アイディア賞 宮島教育賞（第二席）社団法人 日本教育工学振興会（JAPET） 後援：文部科学省，2002年8月

■ 所属学術学会等

• 日本技術史教育学会　https://sites.google.com/view/jseht
Japan Society of Education for History of Technology（JSEHT）

• 公益社団法人 日本工学教育協会（日工教）　https://www.jsee.or.jp/
Japanese Society for Engineering Education（JSEE）

• 一般社団法人 日本太陽エネルギー学会　http://www.jses-solar.jp/
Japan Solar Energy Society（JSES）

• 日本エネルギー環境教育学会　http://www.jaeee.jp/
Japan Association of Energy and Environmental Education（JSES）

■ 研究者登録等

- 新世代研究基盤リサーチマップ（reseachimap）　http://researchmap.jp/
  （国立情報学研究所）
  丸山晴男　http://researchmap.jp/ena-eco.jp/
- J-GLOBAL（科学技術総合リンクセンター）独立行政法人科学技術振興機構
  https://jglobal.jst.go.jp/en/
- 丸 山 晴 男　https://jglobal.jst.go.jp/en/detail?JGLOBAL_ID=20100104
  7131177785
- 環境省登録：環境カウンセラー：https://edu.env.go.jp/counsel/
  丸山晴男　　https://edu.env.go.jp/counsel/counselor/2003221005

■ 恵那エネルギー環境研究所 Web

- 恵那エネルギー環境研究所総合 Web
  https://sites.google.com/view/ena-eco-jp/
- 恵那エネルギー環境研究所　http://ena-eco.jp
- 恵那ライブ気象台　http://ena-eco.jp/VWS/wx.htm

■ 研究・活動協力機関，協力者（敬称略）：順不同

- 足利大学 総合研究センター
- 足利大学 工学部 自然エネルギーコース　中條祐一研究室
- 近畿大学 校友会 本部
- 近畿大学 校友会 全国経済産業リーダーズクラブ 東海地区リーダーズ
- 夢人（カウンセラー 神田充人）
- モアコスメティックス㈱ 代表取締役社長 亀田宗一
- 大学共同利用機関法人 自然科学研究機構 核融合科学研究所（NIFS）
- 「図解入門 よくわかる最新分析化学の基本と仕組み 第2版」（秀和システ
  ム）著者：津村ゆかり
- （有）ビズアーク：ビズアーク時間管理研究所 代表：水口和彦
- 実教出版 株式会社

- 東海ライブ気象台
- 二吉建設 株式会社
- グリーヒルエンジニアリング
- トータルシステム 株式会社
- 有限会社 青電舎
- 恵那市恵那文化センター
- 土岐市役所生活環境課

F-04 資格・免許リスト

所有資格・免許等一覧　令和5年6月20日現在（2023）

	取得資格・免許	略称	認定番号	任命者／主催者	種別	認定取得日	西暦
1	教育士（工学・技術）	教育士	005950	（公社）日本工学教育協会	学術学会	平成28年1月29日	2016
2	地球温暖化防止コミュニケーター	温暖化防止	活動証明書	環境省,地球環境局長	公的資格	平成28年3月〜H4年3月	2016
3	環境社会検定試験（eco-people, エコピープル）	eco検定	3-1-07616	東京商工会議所	公的資格	平成19年12月16日	2007
4	環境カウンセラー（環境省登録認定）	環境カウンセラー	市民部門2003221005	環境大臣小池百合子	環境省登録	平成16年4月1日	2004
5	小学校教諭専修免許状	小専修	平14小専第5号	岐阜県教育委員会	教員免許	平成14年4月30日	2002
6	中学校教諭専修免許状・理科	中専修理	平10中専第2号	岐阜県教育委員会	教員免許	平成10年4月30日	1998
7	高等学校教諭1種免許状・理科	高1理	昭55高2普第6497号	大阪府教育委員会	教員免許	昭和56年3月31日	1981
8	高等学校教諭1種免許状・工業	高1工業	昭55高2普第6498号	大阪府教育委員会	教員免許	昭和56年3月31日	1981
9	毒物劇物取扱責任者	毒劇物取扱	応用化学学課修了に準ずる	厚生労働省令で定める。	国家資格	昭和56年3月31日	1981

	取得資格・免許	略称	認定番号	任命者／主催者	種別	認定取得日	西暦
10	国家資格情報処理技術者：初級システムアドミニストレーター	初級シスアド	32710566	通商産業大臣：橋本竜太郎	国家資格	平成7年12月5日	1995
11	パーソナルコンピュータ利用技術認定：3級	パソコン認定	323-023719	（社）パーソナルコンピュータユーザー利用技術協会（通産省）	公的資格	平成7年2月1日	1995
12	情報処理活用能力検定：J検：3級	J検	3-4000658	（財）専修学校教育振興会（文部科学省認定）	認定公的資格	平成8年2月9日	1996
13	日本語文書処理技能（ワープロ技能）検定：3級	ワープロ検定	証23第13626号	日本商工会議所（通産省認定）	公的資格	平成8年7月13日	1996
14	環境教育一般指導者プロジェクト・ワイルド　エデュケーター	プロジェクトエデュケーター	平12年6月認定	（財）公園緑地管理財団	財団公的資格	平成12年6月1日	2000
15	映写技術証（OHP，映画，録画）	映写技術	岐阜県第31982教社証57254	岐阜県教育委員会	公的資格	昭和57年8月13日	1982
16	映写技術証（映画，録画，パソコン）	映写技術	岐阜県第40431教社証63113	岐阜県教育委員会	公的資格	昭和63年10月26日	1988
17	英語検定3級	英検	211112521-355403	（財）日本英語検定協会	認定公的資格	昭和48年1月21日	1973
18	珠算　1級	全珠連	岐阜44-311	（社）全国珠算教育連盟（全珠連）	認定公的資格	昭和45年3月22日	1970
19	ラジオ・音響技能検定4級	ラジオ音響検	4級2700	（財）実務技能検定協会	文部省認定資格	昭和56年11月15日	1981
20	電話級アマチュア無線技師（第4級アマチュア無線技士）	アマ無線	CABN 3116	東海電波管理局長	日本国政府	昭和52年10月15日	1977

F-05　まとめ&おわりに

　この本の柱は，タイトルの「人生は化学反応・化学変化」です。この本を読んでいただいて，人生は，周りの様々な環境すなわち，人的環境，物的環境，情報環境などで，化学反応，化学変化などが起きることが分かっていただけたでしょうか。ごくごく小さな変化や大きな変化など様々でしょう。変化が見えなくても，内部変化が起きたり，変化を起こす　エネル

F-05　まとめ&おわりに　　　　　　　　　　　　　　　　　　　　　　　　　　　　225

ギーが溜まりつつあるのかもしれません。化学反応，化学変化は，様々な
条件でいろいろな変化をしていくのです，色，熱，熱の変化……様々だと
思います。そしていろいろな物質が変化したり，新たな物質が生成するの
です。

　人生もこれと同じで，人的，物的，情報などの環境はもとより，人間は
生物なので，一人ひとり違うのです。生まれ持ったものもありますし，そ
の後の各種環境で変化するものもあります。このように，人生を化学反応，
化学変化に置き換えるとよく分かるのではないかと思います。よく授業で
話をするのですが，塩酸は，塩化水素の液体であり，強い酸性を示す医薬
用外劇物です。一方，水酸化ナトリウムは，強塩基で強いアルカリ性を示
し，人間の皮膚も溶かす，医薬用外劇物です。この両者を中和反応させる
と，塩化ナトリウムと水になります。中和実験の化学反応式は以下です。

$$HC\ell + NaOH \rightarrow NaC\ell + H_2O$$

　このように全く別なものに変化したり，有益なものに変化するのです。
水酸化ナトリウムは，石けんの原料にもなります。これと人生は同じだと
思うのです。環境，組み合わせ，条件でどんどんよい方向に変化するので
す。
この本のもう一つの柱は，「ベンゼン環」の6つのポイントです。A：総論，
B：授業，C：研究，D：生活，E：情報，F：まとめです。

　A：総論では，学生時代から今までの経緯を書きました。そのままの経
験と流れです。ここにも，化学反応や化学変化があることが分かると思い
ます。
　B：授業では，主に学校勤務の教員としての実践を中心に載せました。
小学校，中学校の理科，中学校の技術，高等学校の工業科の授業実践です。
理工系の学び方についても書きました。ここで，学習方法や様々な授業の
仕方やその具体的な方法をとらえることができると思います。学校で学ん
でいる人や先生方にも参考になるヒントがあると思います。

C：研究では，私設研究所の恵那エネルギー環境研究所の研究から科学作品，研究の方法，研究の推進の仕方とその経験について書きました。教員と研究者の両立は大変なのですが，このような実践ならば可能であるという事例です。教員はいろいろな面で大変な職業ですが，非常にやりがいのある仕事です。もし，教員の方やこれから教員をめざす人にも参考になれば幸いです。

　D：生活では，人生，生き方のとらえ方と進路と兼ね合わせた様々な実践です。人生は人それぞれです。価値観なども大きく違います。しかし，よりよい方向や，自分の生きがい，やる気が持続する「実現可能な夢」に向かって進むということは非常に大切だと思うのです。そのためのスキルアップの方法やモチベーションについて書きました。人生の向上につながると思います。

　E：情報についてです。ICTやIoT，DXなどが一般的になってきて，多くの方がインターネットを使い，パソコンやスマートフォンを手にして生活しています。その身近なところから有効に活用できる事例を示しました。デジタルとアナログの両方が必要であることも強調しています。参考になることがたくさんあると思います。

　F：まとめです。ここでは，あえて，今までやってきたことをリストアップしてまとめてみました。つまり，今の自分，今置かれている現状は，過去の積み上げのもとにあるのです。もちろん形として残るもの，記憶などの思い出と残るもの，経験的なものなどいろいろです。それをリストアップすることで，今までの歩みが分かり，その実績や活動が目に見え，次へのパワーになるのです。

　一度今までのご自分を振り返って，リストアップしてみるといろいろが見えてくると思います。その中で有効なものを深め，広げ，続けていけばよいと思っています。

　このA〜Fまでの6つのポイントを組み合わせ，絡み合わせ，化学反応，化学変化を起こし，「人生の探究」ができると思うのです。もうここを読んでおられる方は，化学反応，化学変化が起こっているのです。ご自身で気が付かなくても内部で進んでいることでしょう。ご自身で，体感するか

たちや目に見えるかたち，内部に秘めるかたちなど様々な方法で私とともに人生を探究し，人生を切り開くエネルギーにしてもらえばこんなにうれしいことはありません。そして，人生を切り開く宝箱として，身近に置いて活用していただければと思っています。

　この本は，私の教育，研究，実践活動や人生経験をもとに，いろいろな角度から書いています。どこから読んでもらっても構いません。必要なところを調べる形，ヒントを探る形，参考資料のように読んでいただければうれしく思います。「人生の探究の書」としてはもちろんのこと，教育関係の方は授業や教育実践のヒントになります。児童，生徒，学生の皆さんは，各種の学習方法や進路への情報源になることでしょう。保護者の方は，お子様の今後の具体的な進学，就職などを考えるヒントになることでしょう。一般社会人の方は，ライフスタイル，情報活用などの側面で，現状の生活をステップアップさせる大きなエネルギーになると信じています。これをまとめますと，本書は，理工系を中核とした，教育分野，研究分野，活動分野など様々な側面で活用できる，テキストになるのです。ぜひ活用いただければ幸いです。

　今までは，学歴，収入，生活環境などで人生が決まってしまうようなとらえがあります。しかし，この本を読んでいただいて分かるように，たしかに，このような条件で決まる側面もあるのですが，別な側面で人生が進んでいくと思うのです。つまり，人生そのものが化学反応，化学変化で発展・開発されるものと思っています。私の住んでいる「岐阜県恵那市」は，岐阜県の東，長野県に近い小さな山間の町です。それでもこのようなことが可能なのは，インターネットを活用する各種ネットワークです。私自身も小さな化学反応，化学変化を起しながら，今まで来たにすぎません。「不可能が可能」になり，「実現可能な夢に向かって」進みましょう。卒業生の皆さんに送った「3つの言葉」と Keyword をもう一度示します。

■ 3つの言葉

「ダイヤモンドをみがけ」：よいところを伸ばし，磨き，鍛えれば輝く。

「マシュマロよりスルメイカ」：見かけは悪くても味がでる，粘り強く生きる。

「人生は化学反応・化学変化」：環境で人生は大きくプラスに変化する。

■ 人生のKeyword

- アクションあれば変化あり　• むかつきをパワーにエネルギー変換
- デジアナ両輪　• エネルギーシフトバランス　• トリプル処理
- 資格・免許は人生を高める　• インターネットは魔法のツール
- ネットワークで切り開く

　最後に，繰り返しますが，人生は「人的環境」「物的環境」「情報環境」で変遷，開発され，大きく進化すると確信しています。その中で，最も大切にしたいのは，人間的な環境・関係だと思っています。この本の出版に当たり，多くの方々にお世話になりました。コンサルいただいた，神田充人氏（夢人カウンセラー），研究のご指導を受け共同研究者の中條祐一氏（足利大学教授），人生の指南役の亀田宗一氏（モアコスメティックス社長），出版・編集関係として，幻冬舎ルネッサンスの皆様，田中大晶氏，小野みずき氏，今までこの本を書くにあたり，関係の皆様に深く感謝申し上げます。

丸山晴男

■ 著者：丸山晴男

略歴

1981年3月	近畿大学理工学部応用化学科卒業
1982年3月	近畿大学大学院工学研究科応用化学専攻中退
1982年4月～	岐阜県公立小中学校教諭〔小学校5校，中学校5校〕
2018年3月	岐阜県恵那市立恵那北中学校教諭；定年退職
2018年4月	岐阜県立高等学校非常勤講師〔中津川工業高等学校（理科：化学）〕〔恵那農業高等学校（理科：化学）〕〔瑞浪高等学校（理科：化学）半期〕
2019年4月	岐阜県立中津川工業高等学校非常勤講師〔工業科・電子機械科〕　岐阜県立瑞浪高等学校非常勤講師〔（理科：化学）〕

2020年4月〜岐阜県立中津川工業高等学校常勤講師（工業科・電子機械科）：
　　　　　現在
2001年〜　　私設研究所：恵那エネルギー環境研究所，恵那ライブ気象台
　　　　　（所長，代表）：現在
2014年4月〜足利大学 総合研究センター客員研究員：現在
2015年4月〜足利大学 工学部非常勤講師：現在
2022年10月〜近畿大学 校友会経済産業リーダーズクラブ東海地区幹事：
　　　　　現在

プロフィール

　岐阜県恵那市長島町生まれ。近畿大学理工学部応用化学科にて，天然物有機化学，機器分析，植物成分分析などを研究する。学生時代の進路選択の際，教員と研究職を同時に考え，教員採用試験が不合格のため，近畿大学大学院に進学する。大学院在学中に教員試験に合格し，研究職への心残りもあったが，大学院を中退し，岐阜県公立学校教員となる。小学校5校，中学校5校，高等学校4校，大学での教員経験をしてきた。学校教員をしながら，理科教育，情報教育，環境教育などの研究・実践を継続し，「研究のまとめ」を書いたり，雑誌などに投稿したり，学校教育「教育実践論文」は，毎年書いていた。(31回記述)

　本格的に研究するため，2000年，私設研究所「恵那エネルギー環境研究所」設立，2006年気象観測システム「恵那ライブ気象台」を設置し，自然エネルギー（太陽光発電，風力発電，気象観測等）の研究を開始した。

　研究をしていく中で，教員をしながら同時に研究を進めるには，非常に困難があった。そこで，教育職と研究職の両立の方途を探りながら，教育と研究の両方を達成するため，独自の推進システムを開発し現在に至っている。

　教育分野と研究分野を共有化させ，コラボレーションシステムより，両方の有益性を生み出し推進している。恵那エネルギー環境研究所や恵那ライブ気象台の工学的研究を論文や学校教育の授業，各種活動に利用している。学術的研究には，足利大学中條研究室と共同研究し，理科，工学教育

を中心として研究を深め，新たな授業法として，理工系の学習方法「コース別スクランブル方式」等を開発している。工学教育，エネルギー環境教育について，多くの学会発表，論文発表などをしている。その研究成果を授業にも生かしてきた。

　研究活動と研究を活用した各種実践活動を生かすため，教育士（工学・技術）環境カウンセラー等として講座，講演，セミナー，イベント，サイエンスショー等の講師などの活動を実施している。「自然エネルギー，エネルギー環境」「情報活用，ICTネットライフ」「時間の有効活用」「エコライフスタイル」「SDGs推進」「SDGs環境・サイエンスショー」など時代に対応した，講座，活動，実践，提案をしている。イベントでは，「環境フェア・環境フェスタ」「サイエンスフェア・サイエンスブース」を実施してきた。学校教育側面では，「環境教育学習」「SDGs学習」の出前講座，「科学作品」「学習方法」「キャリア教育」「進路支援導」などの活動を継続している。教育職，研究職を両立，共有化を図りながら現在も精力的に教育，研究，各種活動などを推進している。

Web サイト

恵那エネルギー環境研究所総合 Web
　▶ https://sites.google.com/view/ena-eco-jp/

恵那エネルギー環境研究所
　▶ http://ena-eco.jp

恵那ライブ気象台
　▶ http://ena-eco.jp/VWS/wx.htm

科学技術振興機構　情報基盤事業部：研究者データベース：researchmap
　▶ http://researchmap.jp/ena-eco.jp/

〈著者紹介〉
丸山晴男（まるやま はるお）
近畿大学理工学部応用化学科卒業後,近畿大学大学院を中退して岐阜県小中公立学校の教員になる。学校教員を続けながら,「恵那エネルギー環境研究所」と「恵那ライブ気象台」を設立し,自然エネルギーの研究を開始。教育分野と研究分野を共有化させ,コラボレーションシステムを開発し,工学教育やエネルギー環境教育について,多くの学会発表や論文発表を行っている。講座や講演,セミナー,イベント,サイエンスショー等を行い,環境教育やSDGs推進,エコライフスタイルなどにも取り組んでいる。現在も,岐阜県立中津川工業高等学校常勤講師,足利大学総合研究センター客員研究員・工学部非常勤講師として,教育,研究,各種活動などを精力的に推進している。

人生は化学反応・化学変化
小中高大と教壇に立ってきた教員が教える
人生の探究

2023 年 8 月 31 日　第 1 刷発行

著　者　　丸山晴男
発行人　　久保田貴幸

発行元　　株式会社 幻冬舎メディアコンサルティング
　　　　　〒 151-0051　東京都渋谷区千駄ヶ谷 4-9-7
　　　　　電話　03-5411-6440（編集）

発売元　　株式会社 幻冬舎
　　　　　〒 151-0051　東京都渋谷区千駄ヶ谷 4-9-7
　　　　　電話　03-5411-6222（営業）

印刷・製本　中央精版印刷株式会社
装　丁　　弓田和則

検印廃止
©HARUO MARUYAMA, GENTOSHA MEDIA CONSULTING 2023
Printed in Japan
ISBN978-4-344-94520-3 C0095
幻冬舎メディアコンサルティングHP
https://www.gentosha-mc.com/